L'ALBATROS

DU MÊME AUTEUR

ROMANS ET CONTES

Pointe-aux-Coques, Fides, 1958 ; Leméac, 1972.
On a mangé la dune, Beauchemin, 1962 ; Leméac, 1977.
Par derrière chez mon père, Leméac, 1972.
Don l'Orignal, Leméac, 1972.
Mariaagélas, Leméac, 1973 ; Grasset, 1975.
Emmanuel à Joseph à Dâvit, Leméac, 1975.
Les cordes-de-bois, Leméac, 1977 ; Grasset, 1981.
Pélagie-la-Charrette, Leméac, 1979 ; Grasset, 1981.
Cent ans dans les bois, Leméac, 1981 ; sous le titre *La Gribouille*, Grasset, 1982.
Crache à Pic, Leméac, 1984 ; Grasset, 1984.
Le huitième jour, Leméac, 1986 ; Grasset, 1987.
L'oursiade, Leméac, 1990 ; Grasset, 1993.
Les confessions de Jeanne de Valois, Leméac, 1992 ; Grasset, 1993.
Christophe Cartier de la Noisette dit Nounours (conte pour enfants), Leméac, 1993 (1981).
L'Île-aux-Puces : commérages, Leméac, 1996.
Le chemin Saint-Jacques, Leméac, 1996 ; Grasset, 1997.
Chronique d'une sorcière de vent, Leméac, 1999 ; Grasset, 2000.
Madame Perfecta, Leméac / Actes Sud, 2002.
Le temps me dure, Leméac / Actes Sud, 2003.
Pierre Bleu, Leméac / Actes Sud, 2006.
Le mystérieux voyage de Rien, Leméac / Actes Sud, 2008.

THÉÂTRE

Les crasseux, Holt, Rinehart et Winston, 1968 ; Leméac, 1973.
La Sagouine : pièce pour une femme seule, Leméac, 1971 ; Grasset, 1976.
Gapi et Sullivan, Leméac, 1973.
Évangéline Deusse, Leméac, 1975.
Gapi, Leméac, 1976.
La veuve enragée, Leméac, 1977.
Le bourgeois gentleman. Comédie inspirée de Molière, Leméac, 1978.
La contrebandière, Leméac, 1981.
Les drolatiques, horrifiques et épouvantables aventures de Panurge, ami de Pantagruel, d'après Rabelais, Leméac, 1983.
Garrochés en paradis, Leméac, 1986.
Margot la folle, Leméac, 1987.
Richard III, Leméac, 1989.
William S., Leméac, 1991.
La Fontaine ou la Comédie des animaux, Leméac, 1995.

ESSAIS

Rabelais et les traditions populaires en Acadie, PUL, 1971.
L'Acadie pour quasiment rien. Guide historique, touristique et humoristique d'Acadie, Leméac, 1973.
Fais confiance à la mer, elle te portera, Leméac, 2010.

ANTONINE MAILLET

L'albatros

roman

LEMÉAC

Ouvrage édité sous la direction
de Marie-Josée Roy

Illustration de couverture : Kittie Bruneau, C'est quoi ?, 2004, acrylique sur toile.

Leméac Éditeur reconnaît l'aide financière du gouvernement du Canada par l'entremise du Fonds du livre du Canada pour ses activités d'édition et remercie le Conseil des arts du Canada, la Société de développement des entreprises culturelles du Québec (SODEC) et le Programme de crédit d'impôt pour l'édition de livres du Québec (Gestion SODEC) du soutien accordé à son programme de publication.

ISBN 978-2-7609-3346-0

© Copyright Ottawa 2011 par Leméac Éditeur
4609, rue d'Iberville, 1ᵉʳ étage, Montréal (Québec) H2H 2L9
Dépôt légal – Bibliothèque et Archives nationales du Québec, 2011

Imprimé au Canada

Le Poète est semblable au prince des nuées
Qui hante la tempête et se rit de l'archer;
Exilé sur le sol au milieu des huées,
Ses ailes de géant l'empêchent de marcher.

Charles Baudelaire

On me lance en l'air, petit bouchon de deux ou trois ans, je vois approcher le plâtre blanc du mur d'en haut, je meurs de peur; et pourtant mon ventre me dit qu'on me lâchera pas, qu'avant que ma tête s'écrapouille, des bras me rattraperont et me déposeront doucement sur la place, en bas. Chaque fois j'aurai peur, chaque fois j'aurai confiance, chaque fois on me sauvera à la dernière seconde.

À mon tour de rattraper le bras de celui qui aujourd'hui risque de sombrer dans l'oubli.

Ce livre lui est dédié.

1

L'ENVOL

Il est né ou non en Nouvelle-Angleterre, à tout le moins y aurait vécu son enfance, durant l'entre-deux-guerres. Son histoire commence avec l'arrivée de la Crise, il a quatorze ans. Orphelin de mère au jour un de sa vie, fils unique après la disparition mystérieuse d'un frère hypothétique, si l'on en croit son père, volontairement alcoolique et philosophe malgré lui. Ou peut-être est-ce l'inverse. Le frère disparu aurait même pu s'appeler Ludovic, mais ce nom est apparu plus tard, obtenu à l'arraché par le survivant, Raphaël, notre héros, qui entre du pied gauche dans l'histoire d'un siècle tapageur et flamboyant. Un siècle qui a pourtant connu ses heures sombres, la plus sombre après quelques plages mitigées, celle de l'an 1929.

Elle a frappé en plein front une Amérique qui dansait le charleston et lançait des pétards dans le ciel pendu au-dessus des têtes qui n'avaient rien vu venir. Le père de Raphaël prétendra qu'il avait tout vu venir, le craquement des plaques tectoniques, le krach, les fissures dans les murs des usines, et enverra son fils voler de ses propres ailes au-dessus de la masse des chômeurs qui s'agglutinaient aux portes des hospices de charité. Le père restait ferme : plutôt un vagabond sur les routes qu'un quémandeur de charité ! Prends la route du nord, mon garçon, d'où est issue ta lignée. Longue lignée de Français compagnons de

Champlain, Du Mont, Poutrincourt et les autres que pouvait défricher, au fond de son verre de bourbon frelaté, le père de Raphaël qui, au lendemain de sa cuite, ne retrouvait plus le fil des ancêtres débarqués à Port-Royal.

… Ça fait rr… ri-en… on y était, t'es de bon… bonne… bonne race, mon garçon. Tiens-toi droite, la tête haute, ra-ramasse ton gra… bat et marche!

Vers le nord. Au nord de la ligne qui sépare la Nouvelle-Angleterre du territoire canadien, Raphaël serait en pays de connaissance, en terre natale, qui durant des siècles avait appartenu à son lignage de vaillants défricheurs d'eau. Il a fallu que son père lui explique comment on défrichait l'eau, la mer, l'océan… quand la terre ne suffisait pas.

Vraiment?

La terre suffit toujours, mais il arrive que les ennemis te l'arrachent de sous les pieds, ce qui s'appelle une conquête. Alors le fils apprenait de la bouche pâteuse mais inépuisable de son père qu'au nord du quarante-cinquième parallèle vivait sa famille, des retailles de vieille France transplantée qui avait traversé l'orage sans bouger puis, s'agrippant à ses poteaux de galerie et à ses piquets de clôture, se cramponnait à ses souvenirs et à son histoire jusqu'au retour du soleil et du beau temps. Va, mon gars, t'es vaillant, pas très vigoureux, mais rusé comme une fouine, laisse personne te grignoter la moelle des os ni te ronger le poil de la bête. Raphaël levait un sourcil en équerre pour enregistrer, puis imaginer comment on rongeait du poil de bête ou grignotait de la moelle au creux des os. Mais il aimait son père d'une tendresse et d'un respect inconditionnels et, avant de contester sa logique, attendait d'avoir au moins trois poils au menton. Il partirait vers le nord où son père avait laissé une sœur puînée, dans un village au bord de l'eau, entouré d'eau, de l'eau salée, le long des côtes, le philosophe aimait la redondance et la précision, mais oublia de préciser le nom du village que le bourbon avait noyé en eau salée.

Raphaël n'avait pas cru bon d'attendre le réveil de son père pour partir. Il jugeait qu'un départ en douce s'apparenterait davantage à une continuité, un prolongement de leur dernière conversation et imperceptiblement ferait glisser le projet dans la réalité. Ainsi le père verrait s'estomper l'image du fils dans un brouillard lumineux à jamais fixé dans son rêve, le rêve spongieux dans lequel le brave homme avait enfourné la moitié de son existence et bercé les premières années de son unique rejeton.

Et l'autre?

Ludovic?

Raphaël hésita à l'entraîner dans l'aventure et à laisser du coup son père seul et sans soutien. Il se préparait à plier en quatre l'esquisse au fusain de Ludovic qu'il glisserait sur l'oreiller à côté du dormeur, mais il se ravisa : Ludovic était un cadeau de son père, et le fils dégénère qui refuse à son père… *Le fils dégénère…* Phrase inachevée restée enfouie dans le nid en éponge de son cerveau. Raphaël se souvient. En avait cherché la signification. Son père lui en servait à la tonne de ces mots rares tirés d'un vieux bouquin intitulé *Morceaux choisis* et qui trônait entre la bible et l'*Almanach du peuple* sur l'unique rayon de livres au-dessus du buffet de la salle à manger. De plus en plus, Raphaël délaissait l'*Almanach* et la bible pour s'intéresser aux *Morceaux choisis*, surtout depuis que son père s'efforçait de lui faire avaler au repas du soir

11

les restants du midi qui figuraient, à son dire, parmi les *Morceaux choisis* de la table. *Le fils dégénère…* tout à coup la suite revient… *qui survit un moment à l'honneur de son père.*

La route du nord. Un gamin seul, chargé d'un sac à dos. C'est l'été, pas besoin de vêtements lourds, il vaut toujours mieux voyager en saison chaude. Mais le sac s'alourdit à mesure qu'il grimpe vers le nord. Pourtant, il n'y a enfoui que le strict nécessaire : rasoir et crème à barbe en prévision, il a déjà de la mousse sous le nez ; culotte et chemise et gilet de laine et chaussettes et caleçons de rechange, plus un pain entier cuit de la veille, des noix, des oignons, trois boîtes de conserve et des pommes pour quatre ou cinq jours, après… Et bien sûr une carte, la carte de la côte atlantique du nord des États-Unis d'Amérique. Qu'il atteigne la mer et la suive sans dévier, et il ne pourra déboucher qu'au quarante-cinquième parallèle, la frontière qui sépare son pays en crise de celui des ancêtres, établis au bord de l'eau depuis que Champlain et une poignée d'aventuriers, trois siècles plus tôt…

Le temps est au beau, on est à la mi-juin. Rien ne presse, le premier repas peut bien attendre, il faut faire durer les provisions et ravaler sa faim. D'ailleurs, en traversant les champs, on court la chance de tomber sur un pommier, un pommier sauvage. Si fait, un pommier solitaire, il l'a aperçu de loin, ouais… mais l'arbre est en fleurs et n'espère pas ses pommes avant la mi-août. Encore deux mois. Entre-temps, on cueillera des fraises et des framboises, et des bleuets si le ciel est du bon bord. De la rhubarbe, bien sûr, assez aigre au goût mais qui vous remplit l'estomac. De la rhubarbe, plein de rhubarbe, tout le long d'une clôture qui n'appartient plus à personne. Et Raphaël mastique et se bourre jusqu'au soir, jusqu'à l'heure du second repas qui part aussi vite qu'il est entré, sous la décharge de ses boyaux qui, faute d'identifier son légitime propriétaire, rendent sa rhubarbe à la nature.

Après quelques jours, Raphaël n'a plus cherché ni verger ni terre en friche, il a plongé la main dans son sac à dos et senti, enroulés dans ses chaussettes et changes de dessous, l'harmonica de son père et les *Morceaux choisis*. Le paternel avait le vin joyeux et l'ivresse clairvoyante, voire inspirée. Il savait, avait tout deviné, tout prévu et décidé que Raphaël ne voyagerait pas seul. En plus de Ludovic pour bercer sa solitude, la musique et la sagesse des ancêtres issus d'ancêtres restés là-bas, dans les vieux pays, pour accompagner le lointain descendant projeté dans la vie future.

Non, pas de file d'attente aux portes des usines fermées, pas de vie de chômeur pour Raphaël. Avec un nom comme le sien, il pouvait tout espérer du ciel arrondi au-dessus de sa tête, tout attendre d'une mère qui avait eu le temps de le bénir avant d'inspirer, soupirer, puis expirer. Et le père de l'orphelin lui murmurait déjà au-dessus du berceau, et plus tard dans son petit lit à barreaux, et encore plus tard sur son lit de fortune, les paroles choisies de sa mère qui venaient gonfler le livre qu'il n'écrira jamais. Cette œuvre orale et inédite, corpus de sagesse populaire immémoriale, ce philosophe la légua à son fils prédestiné.

Prédestiné.
Destinée.
Destin.
Né pour un destin. Promesse de son père Dieudonné. Donné par Dieu. Le nom du père était encore plus lourd à porter que celui du fils. Tous deux traînaient depuis la naissance des cicatrices

13

indélébiles. Dieu et le cortège des anges volaient au-dessus de la tête de Raphaël qui montait vers le nord en grignotant jusqu'au trognon sa dernière pomme. Son ventre gargouille et s'apprête à lui faire le coup de la rhubarbe, ses bottines lui tordent les chevilles, ses jambes brangeolent, ses oreilles bourdonnent et grincent… squiiikkk!… Le pick-up s'arrête.

— *Goin' somewhere?*
— *Up.*
— *Up where?*
— *North.*
—*Jump.*

Et Raphaël saute à bord de la machine agricole.

Ils eurent une longue conversation qui s'égraina jusqu'à la grand'route du nord.

— *Yeah.*
— *O' course.*
— *Nope.*
— *My Gawd!*
— *Huh-huh.*
— *Right?*
— *Darn right!*

Enfin, la nationale. Qui jalonne la côte est du sud au nord. Si Raphaël parvient à s'y cramponner, il atteindra la frontière, tôt ou tard, au plus tard à l'automne.

— *G'bye, boy!*
— *So long!*

Surtout ne pas dévier. Viser la frontière canadienne, toujours plus haut, plus haut. Mais après deux jours et une nuit, le pouce ne plie plus, s'est raidi au bout du bras tendu, tendu et planté dans l'épaule soudée au corps qui se balance de droite à gauche et tourne et retourne, et c'est ainsi qu'il grimpa dans un camion de marchandises qui fonçait tout droit vers le sud. Raphaël un instant vit la route descendre, réfléchit, cligna des paupières, puis sombra dans le sommeil. Sommeil sans rêves. Pas des rêves, oh non, mais des visions en couleurs multiples, rouge, verte et jaune, et rouge et verte qui lui dardent la peau et lui chatouillent le front et...

Quand il ouvrit les yeux, les lumières l'aveuglèrent si bien qu'il crut lire New York. Il gloussa, bigla, se tordit le cou puis relut dans le rétroviseur ʞɹoY wǝИ... New York?

Le camionneur eut un grain de compassion et le déposa sur la place de la Grand Central Station. De là, il n'avait qu'à prendre un train pour...

Il savait lire?

Huh-huh.

New York, la croisée des trains d'Amérique. Il aurait le choix.

Première nuit dans la Grand Central Station, au cœur de la plus grande ville du monde. Sans sa crampe dans l'estomac, sa langue rêche et un soupçon de nausée, Raphaël aurait été un chevalier d'aventure ravi et comblé. Il sourit au matin inondé de soleil qui dardait ses rayons sur l'asphalte de l'avenue qui se mit à onduler comme un zèbre dans la jungle. Une jungle peuplée de nègres en salopette et casquette sur la nuque, de gentlemen en complet ajusté, de femmes en jupe courte et talons hauts, de têtes enrubannées, de moustachus, de chapeaux noirs plats sur les oreilles d'où sortent deux saucissons frisés qui... Des Juifs errants! Son père lui avait raconté tant de fois la légende du Juif errant que Raphaël avait fini par ne plus y croire.

Il erra dans la cité bariolée des six couleurs de l'arc-en-ciel, non, sept, huit couleurs, non, six. Combien de couleurs dans l'arc-en-ciel ? Y en aurait-il vingt-six ou trente-deux, qu'est-ce que ça pouvait ajouter à la vision de Raphaël qui eût échangé l'arc-en-ciel de l'Arche de Noé contre la moitié d'un saucisson comme celui qui pendait à l'oreille du Juif errant ! Il leva les yeux sur le Juif qui passa tout droit. Puis ouvrit la paume de sa main droite sous le nez d'une vieille chargée d'un panier plein de fruits exotiques. Elle ralentit, le renifla… *eurk !* puis lui donna une poignée de raisins et deux bananes. Il avala les raisins, dévora une banane et se souvint du dicton de son père : *Si t'as faim, mange une main. Et garde l'autre pour demain.*

Il enfouit l'autre banane dans sa poche.

Trois jours à courir dans les allées d'un marché de victuailles débarquées des quatre coins de la planète. Par camions, charrettes, bateaux, des tonnes de fruits et légumes, de viandes fraîches et séchées, de poissons des mers, des rivières, des lacs, des côtes, des eaux profondes, Raphaël en a les yeux ronds, les narines écartées, la bouche ouverte, et à son insu sa main glisse sur les parois d'un casier qui renferme des crustacés vivants. Son index se coince en dessous d'une sangle, il tire, secoue la main qui soulève le couvercle d'une cage bourrée de crabes enfargés les uns dans les autres et qui tentent désespérément de reprendre le large. Il en aperçoit un derrière lui qui avance de travers directement vers les jambes d'une dame énorme penchée sur un comptoir de langoustines. Personne n'a entendu la dame crier, ni vu le crabe disparaître entre les tas de caisses et de détritus, ni compris le geste de Raphaël qui rampait ventre à terre jusqu'à la cheville de la victime qui leva le pied en l'air avant de s'écraser de tout son poids sur l'enfant malingre qui eut le temps d'entendre siler son dernier souffle avant de perdre connaissance. Commotion dans la section fruits de mer et poissons. Un marchand de crevettes parvient à dégager le gamin de sous les fesses de la grosse femme, à le soulever par les jambes et à le tenir la tête en bas pendant qu'une poissonnière en tablier taché d'écailles et de sang lui tapote les joues qui retrouvent petit à petit leurs couleurs et la bonne idée de se dégonfler puis de dégueuler une bile épaisse que couvait depuis trois jours son estomac tari.

— *Iiirk !*

— *My Gawd !*

Des crabes par douzaines qui envahissent la place, s'égaillant entre les caisses, sous les comptoirs, entre les jambes des clients affolés qui se jettent les uns sur les autres, s'accusent mutuellement et finissent en chœur par menacer les crabiers de la hart ou des trente-six coups de fouet. Comment pouvait-on risquer ainsi la vie des gens, voire d'un enfant écrasé sous les décombres, sous l'avalanche, sous on ne sait plus quoi, livré à l'invasion d'une ruée de crabes laissés en liberté, en plein jour, au beau mitan d'un marché du samedi matin !

C'est alors que Raphaël prit conscience qu'on était samedi, qu'il avait survécu huit jours à la faim, à la solitude, à la perfidie des routes qui ne suivent jamais le droit chemin franc nord, et comprit qu'il venait de triompher d'une première mésaventure qui aurait pu lui coûter la vie. Pour le récompenser d'avoir averti les clients du débarquement inopiné de la colonie de crustacés, on le fit asseoir devant un plat de primeurs – ne le bourrez pas, il vient de sortir d'un évanouissement traumatisant, vas-y doucement, mon enfant, une poire à la fois, doucement, mastique bien, attention… attention… n'avale pas trop vite.

Raphaël avalait poire sur poire, sur pêche, sur pomme, sur prune, sur tranche de pain beurré de beurre d'arachides englouti sous les yeux attendris d'une foule qui en oubliait les crabes et les vilains crabiers. Une dame lui essuya la bouche et le menton de son mouchoir brodé de *Long Live America* pendant qu'une autre lui caressait les cheveux ébouriffés au rythme de ses *Poor boy, poor darling little boy!*

Ce fut le plus beau jour de sa vie.
Juste avant de quitter l'enfance.

New York n'a pas de clôtures, de claies, de clayons, pas de champs en friche ni de bosquets pour délimiter ses frontières, rien que des avenues, boulevards et bâtisses qui bouchent la vue de l'horizon. Comment s'orienter si l'on perd l'orient? Le nord, trouver le nord, Raphaël n'a que cette idée en tête. Il lui reste encore trois dollars, une fortune, de quoi manger durant des semaines s'il se contente de fruits et légumes, de noix, de graines et de pain ranci. Va quand même pas songer à mettre du beurre sur ton pain, mon homme, pas avant d'atteindre puis de traverser le quarante-cinquième parallèle. D'ici là, contente-toi de croûtes, mâche-les bien pour faire durer le goût, et sois heureux de dormir quatre heures à la fois, entre deux tournées du gardien de nuit dans les caves de l'hôtel Astoria.
L'hôtel Astoria?

Son père Dieudonné aurait été fier de lui. Il n'avait pas choisi, mais était tombé par hasard sur un palace aux multiples étoiles qui s'allumaient, s'éteignaient, clignotaient pour annoncer ses couleurs aux voyageurs qui descendaient de bagnoles longues comme des wagons de train. C'était arrivé tout à fait par adon, comme ça, qu'il se trouvât sur le trottoir devant l'Astoria au moment où les portes tournantes se mirent à faire tourner une valise qui s'était trompée d'adresse et avait perdu son maître. Raphaël souriait, amusé par cc manège impromptu qui avait toute l'apparence d'une authentique *merry-go-round,* mais les portes n'y pouvaient rien et continuaient à tourner parce qu'elles sont tournantes... jusqu'au moment où la valise trop lourde glissa et se coinça dans l'ouverture. Tout s'arrêta. Même la ramée de *bell boys* en livrée figea sur place. Aucun n'osait, pour en tirer la valise, allonger le bras, de peur de voir la porte emporter le bras avec la valise. Raphaël était le seul qui gardait son sang-froid, le seul qui ne pouvait soupçonner les portes de vouloir tourner inopinément, ne comprenant rien au mécanisme qui les faisait tourner, de toute façon. Devant l'hésitation des autres, il s'enhardit, se glissa dans l'entrebâillement et attrapa la valise au moment où tout se remit en branle. Il aperçut à temps sa jambe qui allait se détacher de son tronc et la rentra de justesse dans la cage qui continua à tourner en emportant Raphaël et la valise dans la joyeuse *merry-go-round.* Quand il vit l'air ahuri de la rangée de valets, il soupçonna que les portes s'étaient emballées et s'agrippa de toutes ses forces à la valise qui creva pour de bon.

— *Holy Mother of God!*

Quand il fut enfin libéré, après que la police eut complété l'enquête et conclu hors de tout doute que le jeune homme n'était ni le propriétaire de la valise ni le complice des voleurs qui dans leur fuite avaient abandonné dans les premières portes tournantes du premier hôtel quelque chose comme le trésor du capitaine Kidd, quand il cut repris ses sens, Raphaël, héros malgré lui, commença par dédaigner la pièce que lui offrait le gérant en veston croisé.

Accepte jamais la première offre, qu'il entendait de loin murmurer la voix de son père, apprends que l'homme qui donne possède toujours plus que celui-là qui reçoit, négocie.

Il promenait les yeux sur le plafond à caissons dorés du grand hall de l'hôtel. Durant trois secondes, il s'imagina dormir une nuit dans un lit à baldaquin et manger un soir à sa faim, assis à table sous le plafonnier aux cent chandelles, puis rêva, saliva et attendit que montent les enchères.

— *Go on, go on, boy. For the show.*
Et Raphaël scanda à mi-voix la comptine :

One for the money,
Two for the show,
Three to get ready,
Four to go !

Quelqu'un l'a-t-il entendu ? Un businessman au long cigare qu'il promenait d'une commissure à l'autre de ses lèvres vint poser la main sur l'épaule du gérant et lui susurrer des chiffres à l'oreille. Raphaël continua de scruter les caissons, l'air de ne rien entendre, puis finit par serrer la paume gauche sur les quatre pièces, tandis que sa droite secouait les mains tendues des gentlemen au sourire satisfait.

Est-ce l'odeur du cigare, l'image du lit à baldaquin ou le goût du risque extrême qui le poussa à réduire son corps à son seul profil, puis à se glisser le long des corridors, à descendre les escaliers pour atteindre les étages souterrains ? Couché sur une bâche qui couvrait une pile de charbon, il eut beau sentir ses os frotter contre sa peau, il sourit : il dormait dans le plus grand hôtel de la métropole américaine !

Après cinq six nuits clandestines dans les caves de l'hôtel Astoria, il lui restait encore trois dollars. Il fit le calcul. Trouver la plus rapide sortie de la cité, le chemin le plus court pour traverser le New Jersey, deux ou trois États de la Nouvelle-Angleterre, en bus ou en train, à la condition de ne pas manger ni dormir dans un lit ni se payer la moindre distraction qui ressemblât à...

Qui ressemblât au Raphaël de la cathédrale qu'il avait vu la veille sans le chercher.

Il était entré dans l'église parce que c'était une église et que sa mère lui avait fait promettre – au dire de son père quelques années plus tard – de ne jamais passer tout droit devant la maison de Dieu sans aller le remercier d'être encore en vie. Il voulait tenir la parole promise en son nom par son père et s'était engouffré sous la nef centrale de la cathédrale encore plus imposante que l'hôtel Astoria. Ici, le plafond qui le dominait d'au moins cinq étages scintillait de figures flamboyantes; les candélabres étaient hauts et droits comme des peupliers; et les saints Apôtres et martyrs en rang de bataille au-dessus du maître-autel l'invitaient à les rejoindre dans un combat à finir avec les démons grimaçants qui s'enroulaient autour des colonnes. Raphaël, qui n'avait encore fréquenté que son église paroissiale, se sentit soudain transporté dans le portique du paradis. Il ne semblait manquer, pour compléter son initiation, qu'un ange venant le prendre par la main et le mener directement au pied de l'autel, le présentant aux saints, aux anges, aux archanges et... Il le reconnut! Avec ses grandes ailes déployées, son sourire de marbre et... et son nom gravé dans son socle : l'archange Raphaël.

C'était pourtant vrai! Cent fois son père Dieudonné le lui avait répété : Raphaël était l'un des sept archanges, le plus doux, le plus pacifique : pas celui que Dieu aurait choisi pour aller combattre les suppôts de Satan, tel le guerrier saint Michel qui perce de sa lance la ventrèche de Lucifer, ni porter les messages, comme l'archange Gabriel qui fait l'annonce à Marie en l'absence de Joseph qui ne saura jamais ce qui s'est vraiment passé, ni se vouer à la contemplation perpétuelle aux pieds de l'Éternel, comme ses confrères du même nom, la tête courbée, les yeux dans le beurre, les ailes pendantes en attendant l'ordre du Très-Haut de s'envoler faire ses commissions. Non, Raphaël était de tous les anges et archanges le plus libre, le plus fin finaud et rusé, le plus sensible à la beauté de la nature et aux merveilles de la vie.

— L'artiste, avait conclu ébaubi Dieudonné, et c'est ton saint patron. Montre-toi digne de porter son nom.

Tu es digne de porter le nom d'un archange, Raphaël, marche droit, garde la tête haute, désenfile la grande allée, les yeux rivés sur le jubé.

Ses yeux n'ont pas eu le temps de voir, ils ont entendu la détonation, en même temps que ses oreilles, que son ventre, que ses jambes plantées au mitan de la nef. Trop tard pour s'enfuir, le vrombissement venait du côté du portail et lui bloquait la sortie. Puis un bref silence. Passés les premiers accords, les notes se sont amusées à courir sur les touches, sauter d'un clavier à l'autre, revoler, rigoler, dégringolant des tuyaux jusqu'à rebondir sur les têtes de la rangée d'apôtres avant d'atteindre celle de Raphaël, pas l'archange, mais le jeune fugitif de la plus humble paroisse d'une petite ville du Connecticut égaré dans la plus grande cathédrale de la métropole. Quand notre piteux personnage finit par comprendre qu'il entendait pour la première fois de sa vie des grandes orgues d'église, ses mains s'ouvrirent de leur propre chef pour attraper l'une après l'autre les notes qui lui tournaient autour et le pénétraient par osmose.

Puis d'instinct, il glissa les doigts dans sa poche de fesse et serra l'harmonica qui avait appartenu à son père.

— Tu entends, Dieudonné?

Son père entendait si bien qu'il poussa le fils à s'asseoir, les pieds sur l'agenouilloir, les oreilles et l'âme grand ouvertes. Mais le fils avait appris en quelques semaines à décider par lui-même. Il se frotta les mains, puis les cuisses, et mesura la hauteur du jubé. Même s'il n'apercevait pas l'organiste, il savait que les orgues n'étaient pas actionnées par un automate. Il lui fallait trouver l'échelle, l'escalier dérobé, l'ascenseur, pourquoi pas! Depuis les portes tournantes d'Astoria, il n'était plus gamin à reculer devant la mécanique. Il passe par une nef latérale, une allée, une première sacristie, oh, oh! y a des bedeaux à la douzaine dans une cathédrale, il s'esquive, revient sur ses pas, découvre une porte secrète dans un portique secondaire, enfile un couloir, s'arrête devant le grondement des graves qui s'amplifient, puis se ressaisit, reprend la course, par là, au-dessus de sa tête, il suit son nez, pousse une porte et découvre un escalier. Quand il débouche dans le jubé, les orgues se sont tues. Mais il voit: un dos rond, une tête penchée sur des feuilles détachées de papier à musique, des doigts qui taquinent l'air pour se dégourdir, puis qui retombent sur le plus haut des quatre claviers. Raphaël a le temps de se jeter à genoux pour ramper sous les bancs, s'approcher de l'orgue – plutôt petit pour rendre des sons pareils. Mais il constate assez vite que les sons ne sortent pas de la console, mais des gigantesques tuyaux en fer-blanc qui lui pendent au-dessus de la tête comme les jambes d'un régiment de colosses. Il n'a pas peur, non, il est dans une église, c'est sa mère qui l'y envoie, pas vrai ? Il lève les yeux et croise ceux d'un petit vieux aux sourcils plus épais que ses moustaches. L'organiste l'a ·vu. Mais curieusement, il ne s'arrête pas de jouer. Il reluque le jeune homme à genoux, les yeux au niveau du pédalier que le musicien actionne sans cesser de questionner l'intrus. Une longue conversation entre les deux qui ne se sont pas dit un mot. Et Raphaël, en redescendant l'escalier secret, bat des deux bras la mesure qui continue à faire vibrer les tuyaux et, ratant trois notes, manque de se casser le cou en dégringolant les dix dernières marches.

Ce jour-là, même le cou tordu, le jeune homme sut que jamais son âme ne se rassasierait de musique.
— Souviens-toi, Ludovic, qu'y nous faudra apprendre à jouer de l'orgue.
Ludovic ne répondit pas, mais son cadet ne se donna pas la peine de s'en formaliser. Son frère était comme ça : fallait pas trop lui en demander. Un dur à cuire. Comme le destin.

Sa main taquinait dans sa poche les trois pièces sonnantes qui lui restaient après ses cinq six nuits dans les arcanes du sous-sol de l'Astoria. Il passa devant la Grand Central Station et sa raison se remit au calcul : s'éloigner de la cité, traverser le New Jersey, le Connecticut, le Massachusetts, le Maine. Trois dollars ne suffiront pas ? À l'épuisement de sa fortune, il sera toujours temps de descendre du train ou, mieux, de grimper sur le toit et rejoindre les chemineaux qui voyagent à peu de frais. Décide-toi, Raphaël : ou tu manges, ou tu suis ta destinée qui monte vers le nord, au-delà du quarante-cinquième parallèle. Sa tête décide et se tourne vers l'entrée majestueuse de la gare centrale des Amériques. Mais son cou ne suit pas, soudé à son tronc, accroché à ses jambes, à ses chevilles, à ses pieds qui n'ont pas bougé. Ils sont plantés là, têtus, toqués, tournés obstinément vers la cathédrale qui elle non plus n'a pas bougé. Malgré lui, c'est-à-dire malgré sa raison et toutes les raisons du monde de partir tout de suite vers le nord avant que son âme ne fléchisse et ne commette l'irréparable : glisser vers la descente dans le ventre du monstre, la ville aux multiples scintillements qui sont autant d'appels aux sept péchés capitaux qui ont tôt fait de dévorer les orphelins sans repères et sans buts, à bout de ressources, à bout de souffle, comme lui, Raphaël à Dieudonné, donné par Dieu, un Raphaël que Dieu a donné à son père pour en faire un homme et le larguer sur la route du retour. Sa tête tourne. Vers le nord. Puis vers l'est, vers le sud.

— Arrête !

Il a crié en s'attrapant le crâne. Mais personne ne s'est retourné ni n'a fait semblant de l'entendre. La ville est trop grande et trop occupée ailleurs. C'est la pire crise économique de mémoire d'homme, la vie est dure pour tout le monde. D'autres ont faim et se rongent les sangs. Et n'ont même pas trois dollars en poche à ne savoir qu'en faire. Lui seul, un orphelin de quatorze ans, maître de son destin, sans obligation ni comptes à rendre à personne, lancé par son père sur le chemin de la vie, libre de choisir la voie la plus sienne propre.

… Qu'est-ce tu racontes, 'tit gars ? Te prends pas pour ton père, t'es pas rendu là, Dieudonné a fait un sacré bout de chemin avant d'oser parler de même. Tu seras libre quand t'auras fait ton nid au creux du giron de tes origines, dans le tronc de ton arbre généalogique.

Ses pieds se mirent en marche d'eux-mêmes. Dans sa tête, il n'était pas libre, pas vraiment. La preuve, il n'arrivait pas à se décider entre le train, le bus, la route nationale du nord. La Liberté, il ne la voyait pas mais savait qu'elle se dressait là-bas face à la mer, la statue garante de liberté d'un peuple qui mourait de faim. Raphaël comme les autres, en dépit de son nom, de la promesse de son père en son nom et de sa destinée, mourait de faim. Trois pièces d'un dollar pour remonter au pays ou pour… il avait le choix. Avec un tel trésor en poche, il avait le droit de s'empiffrer sur-le-champ, en commençant par le dessert : un *banana split* dégoulinant de crème fouettée sur un fond de glace à la vanille dans le creux d'une banane en forme de cale de goélette, le bateau en fête avec la cerise sur le gâteau, la queue qui pointe au-dessus du mât du navire pour défier le monde à la dérive, un monde qui peut sans même avertir achever son cours à tout moment, d'un jour à l'autre.

Filtre ton vin aujourd'hui car demain tu peux être mort. Les *Morceaux choisis*.

Le *banana split* n'a pas passé.

Ou plutôt si, il a passé, puis remonté, revolé comme un volcan en éruption tout droit dans une bouche d'égout de la 5ᵉ Avenue de la métropole la plus grouillante et peuplée de la planète, la planète toujours en vie et si froidement affairée qu'elle ignore qu'un jeune illuminé à peine sevré de l'enfance vient de lui prédire dans un superbe blasphème ses fins dernières. Si quelqu'un ce jour-là a frôlé sa dernière heure !… Remets-toi, l'archange, essuie ta gueule et compte les sous qui restent de ta fortune ébréchée. Et au jour de tes noces, souviens-toi de pas commencer par le dessert. De toute façon, plus jamais de dessert, plus de crème fouettée ni de cerise sur le gâteau,

Raphaël n'a plus envie que d'une soupe chaude, d'un bon bouillon de bœuf dont son père avait le secret et qui savait nourrir son fils avec les soins et la tendresse du couple père-mère soudé en un seul homme, à la vie à la mort.

La mort, la vie, les deux faces de ses origines à lui, l'enfant unique et prédestiné, en route vers la deuxième tranche de son existence qui l'attendait dans le nord.

— Taise-toi, Ludovic, on y va, on est en chemin, laisse-moi rien que le temps de trouver la porte de sortie de c'te... c'te boye à laver!

Il rigole, avec Ludovic. New York, une gigantesque cuve à lessive. Où se brasse le linge sale de la pire crise du siècle, si fait, la pire, c'est son père qui l'a dit. Mais son père n'a pas dû voir l'archange Raphaël trônant au-dessus du maître-autel de la plus grande cathédrale du pays, peut-être du monde. Si Dieudonné... T'es là, le père?... si son père avait rencontré le saint patron de son fils, est-ce qu'il aurait osé appeler la ville qui l'abrite une cuve à laver? Non, Dieudonné n'est pas le genre d'ingrat à dédaigner l'hospitalité du Central Park avec sa variété d'arbres et de plantes et de fleurs dont la métropole avait sûrement hérité à l'effondrement du paradis terrestre.

À cette image, Ludovic et Raphaël se tordent de rire et ergotent à savoir qui des deux serait le premier à mordre dans la pomme d'Adam, advenant que le serpent voulût bien la garrocher une nouvelle fois de l'arbre du bien et du mal.

... Et si aucun des deux mordait dedans?

— Le paradis serait encore là!

... T'es fou? Tu laisserais, à l'heure qu'on se parle, une pomme juteuse rouler à tes pieds sans la ramasser?

— Je me virerais du bord du prunier, personne a dit que tous les fruits étaient défendus.

… Moi, je te le dis.

— Tu dis quoi ?

… Espère d'avoir atteint l'âge d'homme, et tu comprendras sans que je te le dise.

— Y a un banc de vide là-bas, profitons-en pour rattraper nos mauvaises nuits.

… …

Il rêva au pommier, le premier et cause de tous les maux, qui grandissait sous ses yeux, engloutissait les fleurs, les fougères, les arbustes, les arbres géants mille fois centenaires ; il en vit un s'approcher de lui et, curieusement, le regardait venir sans se contracter l'estomac ni cligner des yeux, se permit même de le narguer et de lui arracher une pomme, la seule visible, rouge et veinée, pas du tout piquée des vers, qu'il roulait dans ses mains comme une brioche qui se transforma en petit bonhomme, en Ludovic qui éclata du rire sonore qui le réveilla.

C'était la première fois qu'il voyait de ses yeux Ludovic, pouvait détailler son visage, et c'était dans son sommeil. Mais il sut du coup que ce frère hypothétique, s'il devait le suivre au-delà de la frontière entre le Maine et le Canada, risquait de grandir avec lui et que devenu grand… Ludovic pouvait-il survivre à leur enfance ? Raphaël serra les poings, entra en son for intérieur, chercha les mots pour convaincre son frère de lui rester collé à la peau et de lui garder son âme dans l'état qu'il l'avait reçue de sa mère.

Ludovic, la meilleure part de lui-même.

Il ne savait pas comment exprimer autrement cette prise de conscience entièrement nouvelle sur son identité.

— Wanna puff, kid ?
— I don't smoke.
— Go on, a guy yer age!

Raphaël bigla et voulut s'éloigner, mais le colosse l'attrapa par la jambe et le renversa dans la fougère. Celle de son rêve. Le pommier allait se refermer sur lui, l'engloutir. Quinze jours plus tôt, le ventre plein, il aurait pu essayer de se débattre, mais là, il n'a plus que sa tête pour le défendre, plus que les promesses et conseils de son père.

... Déniche au besoin ton troisième œil, qu'il entend, trouve les paroles magiques, celles qui endorment, figent, ramollissent le cerveau de plus fort que toi.

Mais son propre cerveau est une lavette, sa langue sèche et morte ; il cherche affolé son troisième œil, l'œil qui hypnotisera la brute en train de lui farfouiller les cheveux, lui caresser le dos, lui lécher le cou, qui déjà l'enserre entre ses jambes et va le dévorer comme l'ogre du Petit Poucet... le Petit Poucet...

Quand il racontera la suite à Ludovic, à lui seul, trois minutes et des millénaires plus tard, il ne lui révélera même pas le secret du Petit Poucet qu'il venait de réinventer après en avoir perdu la trace depuis le ventre de sa mère, non, il ne donnera aucun détail, ne se vantera que de sa victoire. Et Ludovic, son seul confident et premier public, a dû comprendre entre les lignes que son frère avait pratiqué et réussi du premier coup la défense que seuls connaissent certaines femmes ou des héros de contes en pareilles circonstances.

— Crois-le ou pas, Ludovic, y a un serpent qui se mord la queue à l'heure qu'on se parle.

Puis se souvenant du tout début des *Morceaux choisis*, il ajouta :

— Mais pour un coup d'essai, ce fut un coup de maître.

En avalant son rire, Raphaël s'étouffa dans un caillot de sang qu'il cracha au pied de l'arbre du bien et du mal.

Ce jour-là, après une course folle dans les méandres du parc enchanté, il s'arrêta en sueur devant le portail du temple. Une cathédrale? Non, même pas une église, un édifice sacré dont le fronton est gravé en lettres gothiques : *Metropolitan Museum*. Pour se remettre sur ses jambes et faire semblant, il redresse la tête, enfonce ses mains dans ses poches et retrouve ses dollars froids et durs au creux d'un mouchoir chiffonné. Rien d'autre, pas même un cœur de pomme ni une demi-douzaine de raisins secs, tout a été englouti tôt le matin.

Son estomac se tord et crie; la grande porte du musée grince et crisse sur ses gonds. Il s'appuie sur sa jambe gauche, sur la droite, la gauche, la droite, pile ou face. Il dénoue le mouchoir, sort la plus grosse pièce et la lance de toutes ses forces pour se prouver. Elle va retomber sur la plus haute marche puis se met à rouler, sautillant d'une marche à l'autre, Raphaël en perd le souffle, court, bouscule quelques dames assidues du musée, n'écoute personne, dégringole comme un automate pour rattraper sa pièce rendue tout en bas, sur la grande place, aux pieds d'un passant qui se penche, en même temps que Raphaël, la main de l'un fermée sur la main de l'autre fermée sur la pièce de un dollar. Les yeux se croisent, l'œil du vieillard sévère, celui de l'adolescent pitoyable et implorant. C'est sa pièce, son dernier bien, presque son dernier, son pain d'aujourd'hui… donnez-nous aujourd'hui notre pain quotidien. Il implore le ciel et le vieux et son ange gardien, l'archange Raphaël. Le vieillard a-t-il de la religion, connaît-il son *Notre Père*, peut-il entendre raison? La raison, peut-être, Raphaël n'a rien à perdre, faut tout essayer, couper les cheveux en quatre, deux et deux font quatre, il en avait quatre au début, en a mangé plus de la moitié… oui, manger, il lui faut manger… la monnaie lui appartient, elle a roulé jusqu'en bas, sautant d'une marche à l'autre, parce qu'il l'avait lancée trop fort, dans son urgence de choisir entre le pain du corps et celui de l'esprit. Bien sûr, m'sieur, il connaît ça, un musée, *yes sir!* Mais il fallait choisir et… pile ou face, m'sieur. Les yeux de l'homme s'abaissent, clignent, sourient.

Donc le jeune homme n'a pas eu le temps de connaître l'issue de son pari.

— Pile ou face? qu'il demande. Le pain du corps ou de l'esprit?

Raphaël vient de comprendre que le vieillard parle sa langue. Dans son ardeur et son affolement, il a plaidé en français. Il sent le vent tourner et l'attrape par la queue: il aurait choisi l'esprit, oui, monsieur, je vous jure. Il cherche dans les *Morceaux choisis* mais ne trouve rien pour affermir sa cause: *à vaincre sans péril… qui se sent morveux se mouche… rien ne sert de courir, il faut partir à point…* rien d'approprié ne lui vient à la mémoire, qu'un axiome oublié que radotait son père à propos de tout et de rien et qu'il tente comme par courtoisie dans la langue de l'autre, sans savoir qu'il lui rendait la monnaie de sa pièce:

— *To be or not to be*, qu'il proclame haut et fort.

Il a risqué le tout pour le tout et a gagné. La paume ridée remet dans celle toute frémissante du jeune affamé la pièce volante qui de toute façon n'appartenait plus à personne. Raphaël en lui saisissant la main a voulu la baiser, mais l'autre la retire pour la plonger dans le gousset de son gilet.

— Voilà, petit, mange d'abord.

Il a d'abord mangé. Et c'est avec un estomac satisfait et réjoui qu'il a retrouvé dans sa mémoire la

31

phrase qui eût été de circonstance : *Après la panse vient la danse.*

Il s'en était tiré avec un léger mensonge. Il connaissait ça, un musée, qu'il avait dit, lui qui n'y avait jamais mis les pieds. Pas plus que dans une cathédrale avant celle de l'archange Raphaël. Deux bornes en autant de jours qui allaient marquer sa vie. Car il n'était pas sitôt entré dans le Musée métropolitain de New York, n'avait pas sitôt payé son billet… vous voyez bien, madame, qu'il n'a pas douze ans – mensonge un peu plus gros que le premier mais qui passa plus facilement, avec sa mine d'enfant sorti d'un roman de Dickens –, pas sitôt payé son billet à moitié prix, qu'il se crut de nouveau à la porte du paradis terrestre. Mais cette fois, le trop récent souvenir du Central Park le mit sur ses gardes, le poussa à se réfugier entre les jupes flottantes d'un groupe de femmes âgées et dignes, dont les trois quarts appuyées sur leur canne et l'autre le nez coiffé d'un lorgnon.

Et c'est ainsi, camouflé au sein du noyau des patronnesses des arts, que notre saugrenu personnage pénétra à l'intérieur du mystère le mieux gardé de l'art pictural : la transcendance.

Le mot ne figurait ni dans l'*Almanach du peuple* ni dans le gros livre des *Morceaux choisis*, sans doute pas dans la Bible non plus, il l'entendait pour la première fois. Et n'y comprit rien. Rien au mot, mais il trembla devant la chose. Il n'écoutait plus les dames tout juste débarquées du *Mayflower* ou qui avaient dû connaître personnellement le général Washington, les entendait à peine susurrer en tirant la langue au fond du gosier, les dents d'en haut deux pas en avant des dents d'en bas et roulant les RRR comme des cailloux que la mer rejette, tout ça dans un accent qui charmait son oreille mais stupéfiait son cerveau. Et le cerveau finit par se laisser prendre, sans effort ni calculs, comme par osmose.

Les pieds dans les pistes des patronnesses, il entra à l'intérieur d'un cadre doré, dans un logis qu'il reconnut, pas le sien, mais la chaumière ancestrale que son père lui avait souvent racontée, où il se vit enfant vieux de deux ou trois siècles assis sur un banc à trois pattes, en train de faire des bulles dans la tige d'une paille, tandis que juste au-dessus sa mère brasse le linge dans une boye à laver fabriquée à partir d'un baril de bois mou. Ni le chat, qui croupit dans son songe tranquille, ni le bambin enfoui dans sa bulle ne semblent se soucier du regard inquiet de la mère qui sait, Raphaël le sait qu'elle le sait, qu'elle est déjà, depuis la naissance de son enfant, partie de l'Autre Bord. On l'aperçoit même au loin qui tend son linceul sur la corde à linge. Sans le savoir, Raphaël entrait pour la première fois dans la transcendance, au sein du mystère qu'il ne comprend pas mais où il se sent transporté dans un ailleurs qu'il cherchera toute sa vie.

Les dames se sont évaporées, emportées toutes rondes dans leur soie, mousseline et dentelle, à l'intérieur de quelques cadres accrochés au mur de la galerie. Il a lu le mot *gallery*. Tous des portraits de femmes : jeunes, vieilles, belles, laides. Une vieille, ni belle ni laide, mais étrange, l'attire avec son nez en canon qui vise directement ton âme, et son œil unique – l'autre est caché dans l'ombre – qui ne te demande pas la permission pour y entrer de plein droit comme l'œil de Dieu encadré dans son triangle éternel. La Sainte-Trinité !

Il vient de trouver ça et il glousse.

Au bout d'une éternité, terrestre celle-là, la sienne, sa vie se fond tout à coup en un instant fixé dans le présent, instant présent qui n'a pas bougé depuis sa découverte de la transcendance devant le premier tableau, puis de tous les autres où il s'est introduit tout seul, sans l'aide du flux et reflux des patronnesses, seul devant le combat entre la Vie et la Faucheuse d'un peintre flamand dont il n'arrive pas à prononcer le nom mais qu'il réussira à graver dans sa mémoire prodigieuse, si fait, prodigieuse… c'est Dieudonné qui l'a dit… le nom immortel de Breughel. Heureusement qu'il put déchiffrer son prénom : Pierre l'Ancien. Un nom à ne pas oublier.

— N'oublie jamais, Ludovic, *Pierre l'Ancien*. Quand on sera rendus au pays, tous les deux, si j'oublie…

… Toi, Raphaël, oublier ?

— Souviens-toi que Dieudonné t'a renchargé de veiller sur son garçon, ton cadet, c'est toi l'aîné. T'as quel âge au juste ?

… …

Raphaël ne devait jamais connaître la réponse de Ludovic, car il lui mit la main sur la bouche, le bâillonna… chut ! dis rien, regarde !

Il releva la tête sur un visage jeune et beau, une femme au sourire qui ne souriait plus, qui avait dû essayer de sourire, mais le temps l'avait figée, avait obligé la jeune femme à rentrer son regard en dedans, au fond d'elle-même où quelqu'un l'appelait. Raphaël voulait savoir, en aurait le cœur net, il s'approcha de la toile, allongea la main, puis entendit hurler :

— *Don't touch !*

… et se figea. Il sentit le gardien arriver en soufflant, puis le saisir par le bras, planter ses yeux dans les siens et lui expliquer qu'on ne touche pas à un tableau, surtout pas le tableau d'un grand maître comme Raphaël, pour ne pas le nommer.

Pour ne pas le nommer? Il eût mieux fait de ne pas le nommer. Car alors notre héros eût compris au premier degré qu'on ne touche pas à un tableau, que ça pouvait abîmer la peinture, il eût compris et reconnu sa faute, mais l'appeler Raphaël? Qui se moquait de lui, ce matin-là? Il fermait les poings au creux de ses poches, serrait les dents, toisait le gardien comme pour lui demander des comptes. Qui était Raphaël en dehors de lui et de l'archange, son patron? Comment un simple gardien de musée pouvait-il se substituer à son propre ange gardien, connaître son nom par simple devinette, savoir qu'il avait reconnu sa mère dans la dame au sourire mystérieux qui parlait à l'enfant caché dans ses entrailles…?

— *Raphael, the greatest painter of the Italian Renaissance.*

Quand le jeune apprenti de la vie se trouva sur le trottoir après sa dernière aventure au musée, il s'assit sur une borne-fontaine, inspira, gonfla ses poumons, expira et se fit une réserve d'oxygène pour tous les jours à venir qui jamais ne sauraient égaler celui de la découverte du troisième Raphaël, après lui et l'archange de la cathédrale. Il resta assis sur sa borne plus de trente-six heures, ou secondes, allez savoir! pour bien ancrer dans sa mémoire… laisse faire, Ludovic, je me souviendrai… sa prodigieuse mémoire, c'est son père qui l'avait dit… y enfouir les images des événements qui s'étaient enchaînés en feu roulant après sa rencontre avec son homonyme italien.

Il récapitule.

Après avoir bien digéré sa découverte du troisième Raphaël, il avait couru de galerie en galerie en quête de nouveaux prodiges. Qui sait? après Raphaël, un Dieudonné? un Ludovic, peut-être? Il avait enfilé les salles, les étages, s'était arrêté auprès d'un Pierrot si triste et qui lui tendait la main... mais il se souvint du gardien qui avait connu l'Italien Raphaël, et de son *don't touch!*... quand il fut emporté par le son des cloches qui avertissaient qu'on fermait dans cinq minutes. Raphaël sortit de son rêve, comprit qu'il lui fallait trouver la sortie, non, pas par ici, par là, là-bas, plus loin, qu'il lui restait quatre minutes, dépêche, reviens sur tes pas, à gauche, à gauche, à droite, t'es passé par là y a deux minutes, ne reste plus que deux minutes, cours, Raphaël, c'est pas vrai que t'es fourbu et que t'as faim, t'as mangé un vrai repas à midi, cours, dévale l'escalier, non, remonte.

— *We close in thirty seconds!*

Trente secondes!

Une porte. *Emergency exit.* Vite! Il pousse, pousse, trop lourde, prends appui sur tes genoux, pousse des épaules de toutes tes forces, vas-y, t'as déjà vaincu le géant, t'es capable, elle cède, s'ouvre sur un vacarme du diable, il a déclenché l'alarme qui attire un gardien, deux gardiens, une brigade de gardiens, cours, Raphaël, si tu veux pas dormir en prison, la prison, pourquoi pas? une prison vaut bien la Grand Central Station et les bancs du parc avec ses ogres qui mangent les enfants, ralentis... Oh non, cours, on sort plus facilement du musée que de prison, détale si tu veux atteindre la frontière avant tes quinze ans, rends-toi juste au trottoir, le trottoir, assis-toi sur la borne-fontaine et prends ton souffle.

Une inépuisable réserve d'oxygène pour te garder en vie jusqu'à la fin de tes jours.

Il erre dans la cité, tripote au fond de sa poche quasiment vide les deux minuscules pièces qui lui restent et qu'il n'arrive plus à faire sonner l'une contre l'autre. Avec son dernier croûton, il a réussi à fermer la gueule à son démon tapi au creux du ventre, tais-toi, t'as plus faim, touche pas à mes deux derniers trente sous. En fait, ce sont des vingt-cinq cents, pourquoi le père les appelait-il trente sous? pour faire accroire qu'on était riches?

Viens, Ludovic, pas la peine d'aviser la Grand Central, on a plus de quoi se payer un billet. Cherchons le raccourci pour nous mettre sus le chemin du nord.

Ludovic ricane.

— Y a-t-y de quoi de drôle à ça?

Ludovic pouffe.

— Ça va faire!

Les deux se taisent. Ils marchent sans destination ni plan de la ville, ils ont perdu le nord. N'empêche qu'ils vont leur chemin comme si.

— Comme si quoi?

… Tous les chemins mènent à Rome.

— On veut pas aller à Rome, mais à…

… Tu sais même pas comment ça s'appelle.

— Ç'arrive qu'un homme connaît le chemin sans savoir où c'est qu'y mène.

… ?

— Je veux dire, on peut savoir où on va sans savoir nommer l'endroit. Rendu, je le reconnaîtrai.

… S'il est encore à l'endroit.

— Comment ça?

… Ç'arrive qu'avec le temps, le vent de nordet et les marées hautes virent l'endroit à l'envers.

Les deux frères s'esclaffent. Puis poursuivent leur errance, menés par la brise du sud qui leur chatouille le bout du nez. Un seul nez pour les deux. Jusque-là, ils se sont mis d'accord là-dessus : le pif de l'un guidera l'autre. Et c'est leur nez commun qui, au bout d'une longue marche en zigzag, fit déboucher les frères errants sur un chapiteau.

… Un quoi ?

Raphaël ne se donna pas la peine de répondre. Ils finiraient bien par apprendre l'un et l'autre qu'un tel mot égaré dans leur mémoire et qui venait de surgir de la bouche du cadet devait bien coller à une réalité qu'ils traînaient d'une quelconque vie antérieure. Un chapiteau, le refuge des clowns.

Raphaël n'eut même pas à cogner, d'ailleurs pas de porte à ce genre de logis, il écarta l'un des rideaux et son nez se planta dans le museau du lion.

Aaaargh !

— ¡ *Bienvenida ! Welcome !*

Non, pas le lion qui l'invitait à entrer, le dompteur qui lui tendait la main.

Comment ils sont venus en moins d'une minute à causer en français, Raphaël ne put se l'expliquer autrement que par son nom, celui de son père, peut-être un relent d'accent que l'autre reconnut.

— Pas dangereux, le lion, plus de griffes ni de canines. Trop vieux. Trop paresseux.

Et le bohémien rigola de tout son ventre.

— Je pense même qu'il te connaît. T'es venu déjà, non ?

Non, il n'était que de passage à New York, c'était sa première visite au cirque.

— Vraiment ?

L'autre ne se lassait pas de l'interroger, de l'examiner sous toutes les coutures, mais les vêtements de Raphaël n'avaient plus de coutures, les morceaux semblaient tenir ensemble par magie, comme l'accoutrement d'Arlequin.

— Arlequin ?

— C'est le plus grand de tous les temps. Tu connais pas ?

Après plus d'un mois à la dérive dans la ville plantée au centre du monde, Raphaël avait appris petit à petit à mentir. Au commencement, par inadvertance et sans même s'en apercevoir, puis par nécessité, enfin, aujourd'hui, par bravade, pour ne pas laisser voir d'où il sortait. Et du tac au tac :

— Pas sûr de connaître ton Arlequin, mais celui que j'ai rencontré laissait pas sa place.

Et de mensonge en invention en fabulation, Raphaël s'aperçut qu'il venait de rejoindre la réalité. Il ne savait pas comment il en était arrivé là, par quel chemin la création pouvait conduire par un long détour à retrouver une vérité qui se terrait en lui depuis sa pré-naissance. Mais sans rougir ni bafouiller :

— Arlequin, c'est mon cousin, qu'il fit.

Il séjourna durant des mois dans le cirque le plus indigent et le plus miteux de la flamboyante métropole américaine. Or, comme il n'en connaissait pas d'autres, il ne cessa de s'émerveiller devant les infinies splendeurs de cette mosaïque d'acrobates boiteux, de clowns vieillissants, de lions et tigres édentés et d'une ramée de romanichels sortis des quatre continents.

… Cinq continents.

— Ferme-la, Ludovic.

Il n'avait plus besoin de Ludovic, il venait de faire accointance avec son double : Scapin.

Il avait reconnu Scapin au premier coup d'œil. C'est même lui, Raphaël, qui révéla à son compagnon d'armes l'origine de son nom : il figurait dans le gros livre des *Morceaux choisis*.

— Mon père Dieudonné m'a bien des fois traité de petit Scapin, qu'il avoua candidement à son vis-à-vis.

— Dieudonné! Il vient de loin, çuy-là.

De fort loin. Raphaël soudain se sentit bien heureux de raconter son père à un authentique personnage sorti d'un vieux livre, de lui présenter Dieudonné, le savant qui avait tout appris tout seul.

— Mon père a tout appris sans jamais s'instruire.

— Un autodidacte?

Raphaël dressa le sourcil gauche, se frotta le nez, sourit:

— Comme tu dis.

Et il se hâta d'inscrire le mot dans le coin le plus sacré de sa mémoire. Pour ses besoins futurs. Car le jeune vagabond n'était pas du genre à pavoiser devant un ramassis de bohémiens encore plus démunis que lui. Il devina en effet que la Crise avait frappé en premier en bas de l'échelle. Les clowns, jongleurs, fildeféristes n'amusaient plus personne. Manger et se loger d'abord. La cigale et la fourmi.

La cigale ayant chanté tout l'été...

Raphaël aimait la fable, mais ne partageait pas la morale de La Fontaine: il optait pour la cigale. Ç'avait été aussi l'avis de Dieudonné: l'homme ne vit pas que de pain. Il voulut sonder Scapin là-dessus, mais son ami qui depuis trois jours se nourrissait des fonds de poubelles répondit par une grimace de son cru qui déclencha le rire de Raphaël.

— Et tu ris en plusse?

— *Mieux est de ris que de larmes écrire...*

— Sais-tu écrire?

— Écrire, lire, rire, pire... je sais pisser vent devant la tête en bas.

Au tour de Scapin de se tordre. Et de comprendre. Le cousin d'Arlequin.

Les deux copains, clopin-clopant-clopinant, cherchent le vent devant afin de tester leur numéro d'ouverture du nouveau spectacle qui se donnera demain devant un parterre de cinq ou six clochards qui se rongeront les poings : *mange une main et garde l'autre pour demain.*

Les bouffons durent attendre deux jours, trois jours, pas de vent. Et à jeun, vessie à plat, pas assez d'envie non plus pour le provoquer. C'était dommage, ils étaient pourtant tous deux ragaillardis et, pour compléter la diablerie à trois, ils avaient fait appel à Jocrisse qui avait l'habitude de jouer les arroseurs arrosés. Et c'est lui, le benêt, le doigt dans le nez et l'œil gauche accroché au croissant de lune, qui contre toute attente sortit la troupe de l'impasse et sauva le spectacle. La nature refusait de collaborer ? on ferait sans, sans vents et marées, sans outils, sans accessoires, sans fil, sans rien… on marcherait tout droit ou tout croche, en flânant, Arlequin, Scapin et Jocrisse, zigzaguant sur l'imaginaire.

Comment le trio de mimes, dont un apprenti, était-il parvenu à arracher à des gosiers secs et des estomacs vides des rires qui n'avaient pas réussi à gonfler les voiles du chapiteau depuis des mois ? Raphaël était le seul à ne pas s'en étonner, parce qu'il n'avait aucun point de repère : il découvrait en même temps que les planches, le mécanisme, les trucs, le sens du théâtre… découvrait surtout qu'il y trouvait un bonheur à lui faire oublier sa faim. Un temps. Le temps du jeu. Puis le ventre retrouva ses droits. Il appela au secours.

— Ludovic !

Plus tard, des années plus tard, Raphaël attribuera au seul Ludovic, son frère coincé dans un recoin de son imagination, l'entière paternité de son invention

41

de génie. Sans savoir jamais – ou sans l'admettre quand il le saura – que cette géniale idée avait été inventée des siècles, des millénaires avant sa naissance. Mais Raphaël, au même titre que Pascal qui redécouvrait la géométrie d'Euclide, avait le droit de réclamer la paternité d'une invention réinventée de son cru.

Le mime.

Et c'est par ce théâtre gestuel et muet que le cirque des romanichels, acrobates clopeux, lions édentés et dégriffés, par le mime que la troupe de crève-la-faim devait reprendre haleine, d'abord pour un public de gueux, puis élargi aux enfants, puis aux passants par hasard, au large public et finalement à deux ou trois initiés qui hochèrent la tête et firent gentiment han-han !

Raphaël dit Arlequin avait sauvé le cirque.

Mais Ludovic rectifia : plutôt Raphaël qui fut sauvé, l'enfant vagabond livré au caprice des dieux subalternes : le cours des vents et l'air du temps, le hasard et le destin, la lune et les galaxies – plusse le Père, le Fils, le Saint-Esprit et la ramée d'anges autour de la Vierge Marie, s'il en croyait Dieudonné – c'était lui, le héros sans papiers, sans école ni long apprentissage, qui avait été sauvé par le mime.

Il avait imploré l'âme de sa mère, l'esprit flottant de son père, l'ombre de son frère imaginaire, supplié l'archange Raphaël son patron tutélaire…

… Où c'est que t'as pris ce mot-là ?

— Dans ma tête, je viens de le faire.

… Pas vrai, il existe.

— Faut qu'il existe, je viens de le dire.

… Peuh !

— Peuh ! toi-même. Écoute, Ludovic, trouve moyen de nous sortir de c'te ornière.

Les deux frères avaient eu une longue conversation sur la manière de jouer l'ivrogne qui pisse vent devant la tête en bas quand le vent est à terre. Comment réinventer le vent? Comment jouer les éléments qui refusent de collaborer, forcer la nature... forcer... for... cer... Et Raphaël, sous les yeux ronds de Scapin et de Jocrisse, et même du dompteur éméché qui traînait en laisse son lion abruti, s'était mis à for-ccr, pous-ser de toutes ses forces contre le vent contrarié qui avait refusé de collaborer, le vent que Raphaël venait de réinventer, de faire surgir de nulle part, d'arracher aux éléments récalcitrants qui malgré eux avaient forcé le clown à les mimer.

En moins de vingt-quatre heures, après une nuit et une matinée de répétition générale, le cirque le plus minable, dépourvu d'accessoires, de machinerie en état de fonctionner et de clowns en état de se tenir sur leurs jambes, levait le rideau sur une scène qui fit éclater et se rouler de rire un parterre de clochards et de ventre-creux.

La suite est connue. Raphaël fut accueilli comme un sauveur.

Après des mois, il vit les premières feuilles rougir. Il leva la tête pour chercher le V des outardes, rien. Rien que de la fumée et des toits rapprochés dans le ciel de New York.

C'était le temps de partir.

... Grand temps, fit écho Ludovic.

Cette fois, il ne saurait refaire le coup de la cachotterie. Son départ en sourdine du logis paternel ne réussirait pas à leurrer les bouffons dont le métier, depuis la nuit des temps, était de leurrer les autres. Il fallait prendre le taureau par les cornes.

— Qui est le taureau dans la troupe?

Personne ne répondit, mais tous surent déchiffrer l'image qui se cachait sous le proverbe. Proverbe universel que l'Italien Scapin, le Roumain Jocrisse, l'Argentin dompteur de lion et tous ses compères mimes, acrobates, fildeféristes, avaleurs de couteaux et cracheurs de feu reconnurent, chacun dans sa langue. Durant les semaines où Raphaël avait échangé avec eux, il avait ingurgité, en même temps que leur pain rance et leurs tours de passe-passe, des bribes de phrases et d'accents qui montaient et descendaient toute la gamme d'un vieux latin de cuisine, la langue morte qui revivait sous toutes ses couleurs dans ces gueules ébréchées.

Raphaël partait les mains vides mais le cerveau, le cœur et les muscles des jambes ferrés à blanc.

Ce serait trop long de raconter toutes les péripéties qui jalonnèrent la remontée vers le nord du jeune apprenti de la vie et de la liberté.

Libre, lui?

Il ne l'apprendra qu'en passant la frontière, dans les circonstances que l'avenir ne pouvait encore lui révéler au sortir de New York, pas plus qu'à nous qui suivons son histoire, histoire aussi imprévisible qu'indéterminée, unique, inscrite à jamais dans le firmament, mais après coup seulement, pas avant de l'avoir vécue. Du moins telle est la croyance de Raphaël lui-même, le héros en apprentissage qui aura tout le temps d'élaborer la philosophie de sa vie en patchwork, dans ses longues altercations bout à bout avec son frère hypothétique qui devient, à mesure que le temps passe, de plus en plus ombrageux.

— Tu crois à quoi, Ludovic?
… À tout, à rien.
— À rien ou à toute?
… À tout ce que tu voudras.

— C'est pas une réponse, ça.

… Ta question non plus.

Et la marche se poursuit. Puis :

— Tu crois qu'on a ben fait de les quitter ?

… C'est fait.

— Je te demande si on a ben fait.

… Réponds toi-même.

— Si je savais la réponse, je prendrais pas la peine de te le demander.

… Si fait, tu prendrais la peine.

— Diable !

… Frère.

— Tête de pioche !

… Tête de linotte !

— Barreau de chaise !

… Poutine à trou !

— Face de mi-carême !

… Face de mort !

Le mot qu'il ne fallait pas prononcer.

… De quoi-ce t'as peur ?

— De crever de faim.

… Mange une main et…

— Taise-toi !

Puis :

— On a quand même réussi à partir en douce.

C'est Scapin qui l'avait présenté au chef d'une troupe ambulante en chemin vers le nord. Roulotte trop large pour les ponts ou les routes encombrées de voitures, mais assez souple pour s'engager dans les champs ouverts. Elle était depuis des mois garée en banlieue et s'apprêtait à prendre le large, tirée par deux rosses qui avaient connu des jours plus joyeux. Scapin s'était-il douté des intentions de son confrère Arlequin, de plus en plus Raphaël, de plus en plus appelé par des voix mystérieuses et menaçantes? Le clown italien avait trop longtemps écouté aux portes des consciences pour ne pas lire dans les yeux de son copain de scène. Ce regard viré vers le lointain ne s'était pas trompé. Mais Scapin s'était fait discret. Plutôt, c'était Raphaël qui n'avait pas su retenir sa langue.

— J'ai de la parenté en Acadie.

Scapin avait cru reconnaître le mot, écorché d'un petit r.

— Arcadie… T'es Grec?

Raphaël aurait pu alors fouiller ses *Morceaux choisis*, ou la vaste mémoire de son père. Il avait entendu le mot, sans plus, mais savait qu'il ne fallait pas situer son peuple en Grèce.

— L'Acadie, au Canada. Ma famille.

Raphaël avait de la famille. Il aurait bientôt quinze ans. Une vie devant lui. Mais il avait des dons. Pour la scène, le mime. En plus de la mémoire, de l'imagination, de l'oreille.

— Joue-moi *uno divertimento* sur ton harmonica.

— J'ai jamais appris.

— Je sais. Autodidacte comme ton père. *Allegretto*, impromptu, vas-y.

Raphaël était resté muet. Il n'avait jamais joué pour d'autres, n'avait révélé à personne sa rage pour la musique, mais Scapin savait tout, une fouine, un chat-cervier – il avait cherché le mot *sphinx* qu'il ne connaissait pas et s'était contenté de lynx.

— Le lynx de nos bois est un fouineux, comme toi, Scapin.

— Quand un gars possède un livre, il sait lire; un harmonica, il sait jouer. Joue.

Raphaël commençait à s'amuser:

— Et parce qu'il a des jambes, il sait marcher sur la corde à trente pieds au-dessus?

Les deux amis avaient partagé leur dernière nuit à pirouetter, voltiger, danser au rythme des vents simulés et aux sons de l'harmonica, de la guimbarde, de l'accordéon, passant d'un instrument à l'autre, tambour battant, orgue de Barbarie, flûte à bec, flûte traversière, flûte raccourcic, et l'épinette vieille de trois ou quatre siècles que les romanichels trimbalaient d'un chapiteau à l'autre depuis qu'on en avait hérité dans une échauffourée entre troupes rivales.

Hérité?

Et le mentor avait enseigné à son disciple comment hériter d'un bien étranger sans s'emparer du bien d'autrui, comment garnir ses coffres sans cambrioler, transformer la réalité sans mentir, marcher droit dans des chemins tout croches, rester honnête homme dans la fourberie, bon vivant dans la misère, vivre longtemps sans vieillir, distribuer aux pauvres le surplus des riches et prévenir le mal par un mal plus grand déguisé en bien.

— Un mal en soutane.

Raphaël riait, engrangeait, transposait et savait que, même orphelin de mère depuis sa naissance, de père depuis son départ et de son peuple depuis l'exil au sud de la frontière, il ne serait jamais totalement, épouvantablement seul. Il l'avait martelé : Jamais tout seul!

— Tu entends, Ludovic?

— Ludovic?

Il avait dû parler tout haut.

— Mon frère aîné.

— Ah?... Il vit où?

— Nulle part.

— Il est mort... désolé.

Raphaël n'avait pu se résoudre à le tuer.

— Pas mort, nenni, pas encore né. Pas pour de vrai.

Et Scapin s'était tu. Comme s'il avait compris.

La cité était déjà derrière quand Raphaël, en s'affaissant sur un coffre dans un coin de la roulotte, sentit grouiller sous ses fesses. Un animal dans le coffre ? Il se rappela le museau du lion qui s'était planté dans le sien, quelques mois plus tôt, et n'osa pas soulever le couvercle. Il se réfugia dans l'autre coin et resta de longues minutes à fixer le bahut. Immobile. Puis qui oscilla légèrement, imperceptiblement, comme pour l'avertir. Petit à petit, Raphaël se rapprocha, colla son oreille sur le bois moisi, sentit l'odeur : non, pas le lion, ni le tigre, ni le boa, pourtant une odeur qu'il reconnut, un homme, vivant… qui a pété. Il soulève le couvercle et l'autre lâche sa pétarade : Jocrisse !

On aurait voulu négocier, mais pas question pour les gitans de prendre deux hommes. Déjà que Raphaël lui-même était un clandestin surnuméraire, un passager qu'on amenait jusqu'à la grand'route du nord. Il n'avait demandé qu'à quitter New York, s'assurant cette fois de ne pas partir vers le sud, ni le Far West, il voulait rentrer chez lui, au Canada, au-delà du quarante-cinquième parallèle, rien d'autre. Mais Jocrisse s'était épris du jeune homme, tout sottement, comme un clown vieillissant qui avait trouvé chez le nouveau un relent de l'enfance perdue, un sursaut d'espoir, il était sans mots pour exprimer ou justifier, il restait là, les yeux ailleurs, à faire fondre le pauvre Raphaël dépouillé de sa peau d'Arlequin. Il l'arracha à son coffre puis le sortit de la roulotte.

— Tu dois retourner, Jocrisse. Là où je vais, c'est pas pour toi. C'est le grand froid d'hiver, tu connais personne, moi non plus, mais j'ai une tante qui me reconnaîtra. Seulement la pauvre pourra pas en prendre deux, fais-toi une raison. Ertorne à ton logis, Jocrisse, à ta bande à toi, à tes compagnons du chapiteau, je gage qu'y sont là à hucher et geindre et brailler après toi. Fais un houme de toi, Jocrisse, sacordjé! ragorne ta besace et file, flanc mou! T'as assez de jarnigoine et de senteur dans le groin pour suivre à rebours tes pistes, tu t'écarteras pas. Fais un houme de toi, fanferluche!

Jocrisse ne reconnaissait plus la voix ni les mots de son copain qui faisait provision de souvenances anciennes à transporter dans sa vie future. Raphaël n'aurait pas trop de son nom et de ses ailes d'archange pour s'envoler vers le nord, pas trop de son frère hypothétique, de ses chimères et rêves farfelus, de ses dons de polyglotte, de singe, d'imitateur, de mime et de sa mémoire infaillible. Il était feluet et maigrichon, mince de taille et faible en muscles, il ne pouvait se charger de plus minable que lui.

Il attrapa Jocrisse par les épaules, lui planta son troisième œil au fond des prunelles, grincha, bredouilla des mots incantatoires puis le fit pivoter à cent quatre-vingts degrés, et hop!

— Salut, mon frère! Si je dois rentrer direct dans ma tombe, j'y tomberai flambant nu et tout seul.

Puis il regarda droit devant lui, héla Ludovic et partit sur la route du nord, le pied gauche en premier.

Le plus long automne de sa déjà longue vie.

Il fallait atteindre la frontière avant l'hiver. Mais l'hiver n'arrive qu'en décembre. Le 21 décembre, c'est l'*Almanach* qui le dit. Encore une couple de mois. Ça devrait suffire. Raphaël-le-feluet est mal équipé en épaules, bras et torse, mais il a des jambes. Élastiques. Et bien plantées, la plante des pieds fichée sur des ressorts. Et des ailes imaginaires aux omoplates. Plus des narines qui ont appris à le nourrir de l'air du temps. Sans compter la folle du logis qui, faute de lui farcir l'estomac, lui bourre le crâne d'images à le transporter jusqu'au festin des dieux.

Un jour ou deux, ça va.

Trois jours, ça va moins. Même les jambes flageolent et regimbent.

— Faut se nourrir, Ludovic.

Et Ludovic, léger comme un songe, a tout le loisir de philosopher.

... On est rendus autour de la Saint-Michel. L'archange Michel, le général des armées du Tout-Puissant. Lui qui a su transpercer le cœur de Lucifer pourrait peut-être...

— Peut-être quoi?

... nous attraper un orignal, un chevreuil, une biche...

— Une poule suffirait. Et ça se cache pas dans les bois.

... D'accord pour un poulet.

La marche continue.

Pas même un poulailler, pas une ferme à des buttes à la ronde, pas âme qui vive dans les environs, mais... Mais quoi? Un lapin. Il s'est arrêté. Il est seul. Raphaël le regarde, le fixe. Il se souvient. Fixe-le dans les yeux, continue, ne te distrais pas, endors-le, approche doucement, parle pas, pense fort mais parle pas. Tiens, vas-y! Les deux ont sauté en même temps. Mais le plus rapide fut le lapin. Même pas un lapin, un lièvre, sauvage. Et puis le jeune homme n'aurait pas su comment le plumer, de toute façon. Il ravale sa salive. Puis son orgueil. D'abord on ne plume pas un lièvre, on l'... l'écorche. Pouah! La bête était aussi bien de se sauver, Raphaël n'aurait pas eu le cœur de lui arracher la peau. Puis de la rôtir à la broche. Avec ses yeux fixes, qui avaient eu l'air de demander à son bourreau à quelle sauce il... Il était pourtant gros et gras. Comment se nourrissait-il, le sacripant?

Des champignons! Le lapin avait découvert les champignons. Toute une bouillée. Raphaël entend au loin la voix de son père: Méfie-toi des champignons sauvages. Sauvages? Mais existait-il d'autres champignons que les sauvages? S'ils étaient bons pour le lapin...

Qui te dit, jeune homme, que l'animal en a mangé? Et si oui, qui te dit qu'il va pas en crever dans l'heure qui suit?

Et puis après! il se préparait à crever de toute façon. Tôt ou tard, ce lapin-là se fera prendre, j'ai passé à un cheveu d'y tordre le cou. J'ai juste à perfectionner ma technique, fixer en pensant fort, de plus en plus fort, aviser l'autre droit dans les yeux.

Et l'affamé promène ses yeux sur les champignons, puis les fixe de toutes ses forces, comme pour les exorciser de leur venin. Quoi qu'il arrive, il n'a pas plus à perdre que le lapin: crever dans une heure ou demain, le cou tordu, ou de faim...

Crever dans une heure
Ou après-demain
Mourir le cou tordu
Ou mourir de faim
Le ventre creux
Ou enflé de venin
Mourir aujourd'hui
Ou le mois prochain...
Comme un homme
Ou un lapin...

L'inspiré se laisse emporter par la rime et le rythme et les jambes qui sautillent autour de la bouillée de champignons atterris du ciel sur son chemin. Son chemin. Un lapin. Qui avale du venin pour pas crever de faim. Raphaël s'attrape la tête des deux mains :

— Arrête ! Largue la rime et mange si tu veux pas virer fou !

Et ses doigts arrachent de terre les champignons blancs légèrement teintés de brun et les enfournent dans sa gueule qui les mastique pour bien les goûter, claquant de la langue contre le palais, puis les pousse au-delà de la luette par le go, le gosier, la gorge, le gorgoton, jusqu'à la gargamelle et la gargotière, autant de mots de gorge perdus qui lui reviennent avec les saveurs vieilles de mille ans !

Il a survécu. Avec une chance sur deux de tomber sur les bons champignons. Mais faudra pas tenter le diable, la prochaine fois.

La prochaine fois, il tomba sur Ali Baba et les quarante voleurs.

Pas quarante, quatre ou cinq tout au plus. Mais bel et bien des brigands. Et il se souvint de l'un des contes préférés de son père où le héros, cousin du Petit Poucet, avait subtilisé par la ruse le trésor d'une poignée de voleurs de grand chemin. Trésor sans fond, de quoi se procurer une montagne de sucre à la crème. Raphaël dut se faire une raison et se rappeler qu'il habitait la vraie vie, et non pas les contes, et que s'il nourrissait le rêve de devenir un jour héros, pour l'instant il n'était rien d'autre que le fils d'un fabulateur exilé qui le renvoyait à sa terre d'origine. Donc pas de risques à prendre, jeune homme, vas-y mollo. Du bout des pieds. T'enfarge pas.

Malgré lui, il s'enfargea.

Tout avait commencé par un quiproquo. Il cherchait un étang ou une rivière pour y laver sa chemise, ses chaussettes et son caleçon. On lui avait indiqué un petit détour par le sud, mais Raphaël craignait le sud comme la peste, depuis sa première mésaventure qui l'avait détourné de son chemin durant des mois. Alors il avait renoncé à la rivière et avait demandé un ruisseau. Et de rivière en ruisseau, il avait abouti à une source. Et c'est là qu'il avait aperçu les brigands. En réalité, il était tombé sur une demi-douzaine de bootleggers assis dans l'herbe au pied d'une source et qui se partageaient les bénéfices du jour. Il n'en fallait pas plus au génial Raphaël pour retrouver dans sa mémoire infaillible tous les ingrédients du conte des voleurs volés. Et sans remuer les lèvres, il murmura :

— Ta part, ma part, ta part, ma part...

... puis siffla, dissimulé sous le buisson :

— Où-ce qu'est la mienne ?

Les hommes s'étaient redressés comme des hors-la-loi, surpris et inquiets. La suite du conte prit une tournure plutôt cocasse. La troupe s'évapore dans le sous-bois, abandonnant sa prise aux agents de la Prohibition. Qui n'apparurent pas. Raphaël restait seul à guetter la suite des événements qui n'eurent pas lieu non plus. Le monde restait coi. Pendant un moment, rien ne bougea. Raphaël sortit lentement la tête du buisson, crut un instant voir sangloter le grand saule de toutes ses palmes pleureuses, s'imagina que s'y camouflaient les officiers de douanes qui traquaient depuis des jours la bande de contrebandiers d'alcool. Fallait pas prendre le fils de Dieudonné pour un néophyte, lui qui plus d'une fois avait dû répondre aux hommes de loi qui fouillaient les caves susceptibles de cacher la boisson interdite. Interdite dans toute l'Amérique du Nord, par force de loi. Et c'est son père qui était en même temps la victime et le héros de cette *Dry America*. Car c'était lui, le champion des buveurs, qui avait réussi à passer entre tous les filets de la justice, mais qui pour s'en féliciter trinquait à sa victoire jour et nuit jusqu'à la prochaine ronde des officiers.

En se remémorant les cuites de Dieudonné, l'ivrogne repentant qui après chaque égarement prêchait à son fils les vertus de la sobriété, Raphaël souriant de nostalgie négligea la plus élémentaire prudence et s'approcha sans éviter les brindilles sèches d'automne qui craquaient sous ses pieds. Il s'accorda même le luxe de siffler de joie : wouiiii ! devant la manne au pied de la source : la prise rondelette des bootleggers, brigands des temps modernes, sortis tout crus des contes de son père. Des flasques, des flacons, des bouteilles, des pièces de monnaie, des billets… une fortune !

— Tu vois ça, Dieudonné ?

Au tour du fils de se proclamer héros et d'entrer dans les contes. Il se préparait à se rouler par terre, à se vautrer dans la manne et à crier au ciel de lui envoyer son fidèle archange tutélaire pour l'aider à ramasser le magot, quand il reçut sur la nuque un avertissement sec et douloureux qui le ramena à la vraie vie du temps de la Prohibition.

— *A kid ! A damn wretched kid !*

Suivi d'un tonnerre de rires qui lui tombaient sur la tête et les épaules comme une grêle fondue dans la giboulée.

Et voilà comment notre nouveau héros fut adoubé chevalier d'aventure au sein du groupuscule de contrebandiers d'alcool communément appelés bootleggers.

Au commencement, tout se déroula si bien que Raphaël à plusieurs reprises fit taire Ludovic qui cherchait à le mettre en garde.

— T'es pas content de manger à ta faim?

Depuis le premier jour, disons depuis qu'il s'était empiffré au marché de New York après son évanouissement, écrasé sous les fesses de la grosse femme...

— *Eat, boy, eat, poor darling little boy!*

... depuis ce jour-là, jamais Raphaël n'avait pu se vanter d'avoir mangé à sa faim. Même dans son expérience chez les clowns, il avait dû partir chaque matin écumer les poubelles en compagnie des milliers d'affamés de la métropole américaine qui traversait la pire crise de son histoire. Or, voilà qu'en compagnie d'une bande de...

... de brigands...

— Taise-toi, Ludovic. Des forbans, peut-être ben, des chenapans, O.K., qui gagnent leur vie en vendant de la biére, d'accord... Pis après? te prends-tu pour un prêtre ou un quaker?

Non, Ludovic ne se prenait pas pour un prêtre ni un pasteur, il n'était que le grand frère qui depuis leur naissance, et avec la complicité de leur père, était chargé de veiller sur la sécurité du cadet.

— Qu'est-ce tu veux dire, sécurité!? Un autre de tes cauchemars encore?

Raphaël aurait dû rester prudent et ne pas s'en aller défier le destin.

Pendant des semaines, c'était la bonne vie, rustre et fruste, bien sûr, mais on n'était plus dans le conte de fées, on vivait en pleine époque de Dépression et de Crise, fallait faire avec les moyens du bord, et seuls les plus débrouillards s'en tiraient sans trop perdre de plumes.

Le mot *plumes* aurait dû réveiller la méfiance de Raphaël, mais pour l'instant il ne l'associa qu'au bon lit dc plumes qui réchauffait ses nuits du temps que son père le bordait chaque soir avant de le laisser sombrer dans les rêves profonds. L'un de ces rêves prémonitoires, sans qu'il y prît garde, était récurrent : Raphaël voyait son matelas crever et répandre ses plumes partout dans la nature, jusque dans la basse-cour où les poules affolées et toutes nues cherchaient à se remplumer.

C'est quand il eut la charge de remporter à ses maîtres une demi-douzaine de poules tous les jours que le jeune apprenti bootlegger comprit que sa vie tournait en rond ; et quand au forçaille il fut condamné à les plumer puis à les embrocher, il sentit sa mémoire radoter. Comme si chaque moment de sa première vie se dédoublait. Il pressentait que tôt ou tard tout voleur de poules se fait pincer, que son sort était scellé. Dans son cas, plutôt tôt que tard. Et contrairement aux règles de l'honneur qui avaient cours dans le cirque, chez les contrebandiers régnait la loi du chacun-pour-soi. Non seulement on l'avait nourri des abats ou du croupion de la poule, mais dans sa mésaventure, on l'abandonna aux mains du fermier qui le livra à la police.

Voilà comment le jeune Raphaël célébra ses quinze ans en prison.

Notre héros avait pourtant réussi au début de son long périple à garder la trace à peu près exacte des heures et des jours. Mais l'épisode de sa vie chez les bootleggers lui avait fait traverser une frontière dangereuse : jamais Dieudonné, Ludovic ou Raphaël lui-même n'eurent imaginé que l'un d'entre eux serait un jour mis au pilori. Un autre des mots rares du père que les fils reçurent par osmose. Pilori, la condamnation honteuse. Et c'est lui, le cadet innocent et prédestiné, l'élu porteur de la lignée chargé de ramener au pays ancestral une branche égarée, qui se réveilla le matin de ses quinze ans les doigts enroulés sur les barreaux d'une prison d'État. Voleur de poules pour le compte d'une bande de contrebandiers recherchés, coupables de délits que ne soupçonnait pas le pauvre Raphaël qui dut pourtant payer pour eux. Et malgré sa situation misérable, il se souvint de bribes des *Morceaux choisis* :

> *Que le plus coupable de nous*
> *Se sacrifie aux traits du céleste courroux...*

> *J'ai souvenance*
> *Qu'en un pré de moines passant,*
> *La faim, l'occasion, l'herbe tendre et, je pense,*
> *Quelque diable aussi me poussant,*
> *Je tondis de ce pré la largeur de ma langue.*

> *Manger l'herbe d'autrui! quel crime abominable!...*
> *Rien que la mort...*

La mort! Mourir pour des poules dont il n'avait reçu pour sa part que le cou et le croupion!?

> *Ta part, ma part, ta part, ma part...*
> *Où-ce qu'est la mienne ?*

Et le gardien lui garrocha dans le giron sa part de pain pour tremper dans son bol de soupe en lui souhaitant : *Happy Thanksgiving Day!*

Il fit un calcul rapide : Thanksgiving, cette année-là tombait le jour de son anniversaire. Et il cria au gardien qui s'éloignait : *It's my birthday! Thank you!* Suprême effort pour amadouer le bourreau.

Le bourreau! En cagoule. Qui tranche la tête des voleurs de poules, en laissant les vrais brigands se dérober et s'enfoncer dans les bois. Il n'y a pas de justice!

Son père l'avait pourtant mis en garde sur les deux poids deux mesures de la justice, sur la misère qui engendre la misère, sur les en-dessous et déraillements de la politique, sur les dangers de passer à côté de son destin. Ne jamais lever le nez devant la connaissance, quelle qu'elle soit, ni cesser de cultiver la beauté, où qu'elle se trouve. Recourir à la bible et aux *Morceaux choisis,* fouiller au besoin sa mémoire ancienne cachée au fond du ventre de sa mère. Et puis si nécessaire – et ce sera souvent nécessaire – faire usage de la ruse devant plus fort que soi... Petit Poucet devant le géant, renard devant le loup...

— Ludovic !

... ...?

— Je sais que t'es là, fais pas le mort.

... Toi, fais-le.

— Quoi !?

... Même en prison, on tue pas les morts.

Faire le mort ? Réfléchis, Raphaël, non, pas l'archange, mais le pitre, ne pense à rien, laisse tes entrailles penser pour toi, souviens-toi des leçons de Scapin, du faire semblant, du faire accroire, l'art suprême de la mystification, c'est ça ! Et il entra en contorsion, puis dans le coma, puis...

C'est le gardien au sourire ébréché du *Happy Thanksgiving* qui ravala sa grinche stupide en découvrant la pendaison de Raphaël qui ne s'était pas tout à fait dépouillé de sa peau d'Arlequin. En Arlequin, il avait appris dans le jeu à se passer de tout, sauf de l'essentiel, se passer d'accessoires, se passer de corde pour se pendre, mais pas du génie de l'invention. N'avait-il pas réinventé le mime ? Mais mimer le mort avait quelque chose de rébarbatif pour un superstitieux. Ça n'était pas tenter les dieux ?

... Pas pour çuy-là qu'a les dieux de son bord.

Le cadet cligna de l'œil à son frère et :

— Regarde-moi faire, Ludovic, mon frère !

C'est alors qu'il a risqué le tout pour le tout : avec une chaussette, il s'est fabriqué un nœud coulant qui ne coule pas mais bloque en haut du cou, sort des commissures de ses lèvres une langue pendante et de ses orbites des yeux exorbités, s'enroule les pieds l'un sur l'autre dans un mouvement que seuls parviennent à faire les authentiques pendus... ou le clown qui après deux millénaires réinvente le mime et nourrit sa prodigieuse mémoire des fleurons des *Morceaux choisis* :
À vaincre sans péril, on triomphe sans gloire !

À vrai dire, le froussard se fût passé de la gloire, en ce moment-là, et l'eût volontiers troquée contre une évasion moins risquée. Car pour tromper la garde, qui dans son affolement avait laissé toute grande ouverte sa cage, le téméraire dut s'abandonner au seul dieu de la chance pour foncer puis zigzaguer, les yeux fermés, entre les trente-six coups de feu partis au hasard... et finir par s'en tirer avec un reflux de la moitié de sa soupe qu'il lâcha dans l'herbe et l'autre moitié dans sa culotte.

Après quoi, il passa un jour et une nuit dans une grange désaffectée, l'estomac vide, le corps recroquevillé, sursautant au moindre chuintement de la chouette ou au cri lointain de la buse.

Tu parles d'une fête pour tes quinze ans !

Ce fut pourtant cette prise de conscience d'être entré dans un nouvel âge qui eut raison de sa frousse et qui le remit finalement sur la route du nord. Il était l'héritier du conteur-fabulateur-penseur-philosophe Dieudonné, son paternel et mentor, qu'il avait juré de ne pas décevoir. Pas avant de devenir un homme. Était-il rendu là ? À quel âge devient-on un homme ?

Il avait commencé à se raser la moustache et la pointe du menton. Même pas les joues. Il avait beau se passer la main sur le visage, des pommettes à la gorge, à peine un picotement, puis il fallait de toute façon ménager la crème à barbe. Ménager de même la semelle de ses chaussures. De plus en plus, en cherchant à éviter les cailloux, il se déchaussait, mettait ses bottines en bandoulière et faisait le brave qui n'a pas froid aux yeux. Pas froid aux yeux, mais qui gelait des chevilles et des orteils. Gelait même du pouce qui ne cessait de faire signe aux voitures, aux camionnettes, aux charrettes, chariots, chars à foin.

Et de char en char, puis, les jours chanceux, de Ford à palette en camion bringuebalant, il avançait de quelque trente ou quarante milles par jour. Il était même parvenu à se nourrir, juste assez pour ne pas crever, à coups de clins d'œil ou de bouche en cœur auprès des mères de famille éblouies par son histoire de prince ou de bohémien fugitif, c'est selon; plus souvent par la vérité toute simple de l'orphelin en cavale; ou tout simplement par ses mille tours de passe-passe qu'il avait appris de son père, puis perfectionnés au contact de Scapin, Jocrisse et le dompteur de lion.

Enfin, quelques semaines plus tard :
— *Going up, good for nothing?*
Bon à rien, lui? Il va lui en faire du *good for nothing*. Des mois qu'il monte l'Amérique à pied, tout seul, en charrette à beu' ou en borouette...
— En borouette? Tu parles acadien, vaurien?
Quoi! voilà que le ton change. Le chauffeur parle sa langue... borouette... vaurien... Vaurien, c'est le mot caressant pour *bon à rien, goog for nothing*. L'un des mots fétiches de son père. Et il se hâte de grimper

à bord d'une bagnole sans fenêtres ni freins, mais qui roule sur quatre roues. Et les deux se mettent à rouler les rrr à qui mieux mieux, à faire revoler les consonnes et sonner les voyelles, enfonçant dans la gorge des âââ graves et des iii pointus, puis finalement à cracher des *tchisque t'es?* et des *ayoù ce que tu vas?* et des *quoi c'est que ton nom?* à effrayer les corneilles.

C'était la première fois depuis son départ de la maison que Raphaël entendait sa langue ancestrale. Celle que son père ne lui avait pas enseignée, mais que le fils gardait pourtant secrètement enfouie dans une mémoire qui avait dû se nourrir déjà chez sa mère. Du moins telle était la croyance de l'enfant prodige qui croyait d'abord et avant tout aux vérités qui faisaient son affaire. Or, jamais il n'aurait renoncé à des trésors de mémoire, fût-ce de la scorie, qu'il gardait précieusement comme de vieilles reliques décolorées.

Par les petits... petit à petit, le vieux voyageur et le jeune vagabond échangèrent leurs vues sur le siècle, leurs espérance et désespérance sur le monde dans lequel on vit, sur la Crise qui passera, passera pas, sur l'avenir qui s'achève pour l'un, débute pour l'autre, enfin sur leur mutuelle destination.

— Je remonte en Acadie.

— Eeeeh ben! t'es pas à la porte.

— Un clayon me suffira, je suis pas gros.

— Hé, hé... pas gros mais vif.

— C'est encore loin?

— C'est selon. Dans quel boute tu vas?

— Chez ma tante.

— Han-han...

— Joséphine. La femme à Elzéar Belledune.

— C'est déjà ça. Avec un nom de même, tu peux te passer de papiers.

— Et vous?

— Pus besoin de papiers, trop vieux pour ertorner. Atterri aux États y a quarante ans, dans les moulins. Bounes gages dans le temps. Ben, la Dépression a point épargné parsoune.

— Vous allez jusqu'où?

— Jusqu'icitte. Je sons rendus.

Il dut commencer à freiner par les petits, dans une manœuvre complexe des leviers de vitesse qui se substituaient aux freins usés à la corde. Raphaël était fasciné. À en oublier sa peur et son anxiété. Il continua de sourire sous ses sourcils froncés… L'Acadie n'était pas à la porte. Et les papiers… quels papiers? Son père n'avait pas fini de l'instruire sur sa destination. Il avait tant parlé de ce pays des aïeux, de ce bord de mer avec ses dunes et ses barres et ses baies, que ce lieu de ses origines en était venu à se confondre à la terre du nord qui attendait son fils comme un libérateur. Au point que le rêveur philosophe avait négligé de lui confier le nom propre de l'éden enfoui depuis des temps immémoriaux entre la mer, les collines et la forêt sauvage.

— Bon voyage, sonofabitch! émoye-toi de ton chemin en prénonçant ben le mot: A-ca-die.

— Grand merci, le père! A-ca-die!

Le nom magique. Qui devait lui ouvrir toute grande la porte.

— Acadie… *Acadia, Sir.*

— *Jump.*

Et c'est ainsi que le fils d'Acadie aboutit, une demi-journée plus tard, à Bar Harbor, au cœur du parc Acadia dans l'État du Maine.

C'est là surtout qu'il reçut sa première leçon d'histoire par l'entremise d'un historien loyaliste qui ne partageait pas la vision historique de Dieudonné.

Un siècle ou deux plus tôt, les États américains et les provinces atlantiques canadiennes se fondaient les uns dans les autres, flottant sur des mers instables, chacun empiétant à tour de rôle sur le terrain de l'autre, à faire grincer des dents deux pays qui avaient fini par inviter un neutre à trancher le débat. Et comme tous les neutres, celui-là, doté d'un nom français mais d'une citoyenneté anglaise, avait laissé toute liberté à son doigt crochu de rhumatisme et raidi de convictions de tracer sur la carte une courbe... telle qu'on la connaît aujourd'hui et qui fait force de loi : la frontière fantaisiste qui ampute le Canada de la moitié de l'antique Acadie pour créer l'État agrandi du Maine.

— *Here, young man, is your destination. Welcome home.*
Il était rendu. Non, pas chez lui, mais au Mount Desert Island, en terre anciennement ancestrale, mais conquise ou mal acquise ou troquée contre des promesses non tenues. Raphaël ne se donna même pas la peine d'interroger Ludovic sur pareil imbroglio. Là-dessus, seul son père aurait pu l'éclairer, et encore ! L'histoire s'était faite sans lui. Sans eux. Et Dieudonné se consolait dans le rye qu'autrefois il se procurait honnêtement, mais que depuis la loi sur la Prohibition il devait arracher en cachette aux bootleggers.

Au seul son de bootleggers, Raphaël ressentit sa crampe à l'estomac. Non seulement les sans-cœur l'avaient envoyé se faire pendre, mais de semblables sans-scrupules avaient sûrement exploité son père et ses nombreux pareils aux prises avec la double épreuve du krach économique et de la Prohibition. Rien à manger, rien à boire, rien à faire, ils étaient tous foutus.
Mais où donc se cachait le Bon Dieu ?
Sur cette question non plus il ne put se résigner à sonder Ludovic. Pas assez que l'histoire lui eût volé

un gros morceau de sa terre deux siècles passés, voilà qu'aujourd'hui elle s'acharnait à lui dérober le meilleur morceau de sa vie.

Pour la première fois, Raphaël se sentit seul, abandonné de son père, de son frère sorti d'un cerveau fêlé, des hommes de partout et de tout temps, ogres, brigands, bootleggers, bandits, bons à rien, l'humanité composée de marionnettes embrouillées dans leurs cordes et qui gouvernent un troupeau d'épouvantails chavirés par la sorcière de vent. Quel gâchis que le monde !

Inconsciemment, il avait marché vers la mer, s'était assis tout au bout du quai sur une bouée qu'il faisait pivoter sous ses fesses, tout en cherchant à la stabiliser de ses mains arc-boutées dans son dos. Position précaire et qui oblige à lever la tête vers le ciel, étirer le cou, écarquiller les yeux et laisser s'ouvrir les narines. L'odeur de l'écume salée le grise. Doucement le clapotis des vaguelettes qui s'écrasent sur les planches commence à lui chatouiller l'oreille et à lui écarter les lèvres dans un léger sifflement. De plus en plus fort, son bec se met à siffler après la vague qui ondule au loin et se brisera tout à l'heure sur le quai. Il dégage une main pour fouiller dans son sac, le même qui l'accompagne depuis le premier jour, y déniche son harmonica et le porte à ses lèvres. Il a besoin de ses deux mains pour jouer de la musique à bouche et doit se lever.

— C'est ben, Ludovic, tu peux revenir, je suis deboute. Je crois même que j'ai pris un pouce de plusse depuis mes quinze ans.

… T'en as pris une couple, t'auras besoin d'allonger ton bas de culotte.

Raphaël ne ressentit jamais de sa vie plus grand désir que ce jour-là de voir se matérialiser son frère pour le serrer à brace-corps, le jeter par terre et le bourrer de coups affectueux pour lui prouver qu'il était un homme. Presque un homme. Un bout d'homme qui n'allait pas lâcher, pas démissionner, l'avenir est en avant, par en haut, ses ancêtres ont connu pire, certains de ceux-là ont dû, deux ou trois siècles plus tôt, remonter les côtes d'Amérique à pied ou en charrettes à beu', et jamais je croirai, Raphaël, qu'avec un nom comme c'ti-là que tu portes depuis que t'as été porté sus les fonts, un nom d'ange, d'archange, et du peintre italien de la... de la...

... Renaissance !

— Merci, Ludovic. Va-t'en plus.

Et les deux frères, bras dessus, bras dessous, ailes déployées et bouche grande ouverte au nordet, entreprirent la dernière étape du voyage vers le nord.

Raphaël n'avait jamais pris la mer. Le descendant d'une lignée de pêcheurs, matelots, marins au long cours, lui, l'héritier des conquérants des océans, mettait pour la première fois le pied sur un pont de navire.

... *Et pour un coup d'essai...*

cette fois, ce ne serait point un coup de maître.

Un coup de chance, peut-être. Personne sur la passerelle au moment où le héros y posa le pied. Il réussit à s'y faufiler comme une anguille, à atterrir sur le pont où un mousse lui indiqua la cabine du commandant. C'est par là qu'on embauche. Mais Raphaël, depuis sa déconvenue avec les contrebandiers, craint jusqu'au mot de commandant et préfère se fier à ses seuls instincts. Un pas à la fois, advienne que pourra. Et de pas en pas, il aboutit dans la cale du bateau qui faisait la navette entre Bar Harbor et Yarmouth en Nouvelle-Écosse. Entre Acadia et l'ancienne Acadie.

Il avait déchiffré la veille les affiches douanières qui annonçaient les horaires, tarifs et autres formalités de la compagnie de transport qui reliait les États-Unis et le Canada. Il y voyait pour la première fois écrit en toutes lettres le nom de son pays, la terre promise, de l'autre côté de la mer, juste un peu plus haut, au-delà du quarante-cinquième parallèle. Et avec l'aplomb de l'inconscience, il était monté à bord. Sans papiers, sans argent, sans autre assurance que sa bonne étoile et son désir inébranlable de rentrer chez lui.

Le cœur ne flancherait pas, sa bonne étoile avait jusque-là tenu le coup, et pour ce qui était de l'argent et des papiers, à la grâce de Dieu. Et Dieu voulut que le jeune Raphaël au nom angélique et à la bonne foi quelque peu douteuse parvienne à camoufler son corps rendu diaphane – pour les raisons que l'on sait – sous la bâche qui couvrait l'un des canots de sauvetage. Heureusement que n'eut pas lieu le naufrage qui eût nécessité le sauvetage qui eût dévoilé la présence du passager fugitif et clandestin.

Car là alors !

Raphaël eut de longues heures, au moins cent mille, pour réfléchir sur son destin de *stowaway* sur des mers internationales imprécises et mouvantes qui le ballottaient entre sa double nationalité jamais inscrite dans les formes. Comment son père avait-il pu négliger ce détail qui, dans le noir absolu du fond d'une chaloupe suspendue au-dessus du gouffre, prenait des allures de tragédie ? Un jour, une nuit, un autre jour… combien ? sans manger, sans dormir, et pourtant assailli de cauchemars qu'il jurera plus tard avoir vécus tout éveillé : des monstres marins s'arrachaient aux mers ténébreuses pour venir l'assaillir dans sa cachette, cherchant à l'avaler tout rond comme Jonas dans sa baleine. Au bout de cinquante-six jours, ou deux ou trois, il avait perdu toute notion du temps, il sentit la secousse de l'accostage et comprit que s'il ne voulait pas repartir dans le voyage de retour, il lui fallait soulever la bâche, se tenir droit sur ses pieds et sauter de la chaloupe.

On le sortit de l'eau juste à temps, il allait caler pour la troisième fois.

Il n'apprendra toute l'ampleur de sa chance que des jours plus tard, au cœur de la baie Sainte-Marie, de la bouche de Jos Sullivan, le personnage que notre héros ne devait plus jamais oublier.

— Tu dois la vie à des « si », le mousse.

Raphaël était un *stowaway*, point un mousse. Mais les « si »…

— Si t'avais eu l'idée de sauter à bâbord, t'atterrissais sus le quai et te cassais le cou.

— Quand j'ai sauté à tribord, si j'avais vu l'eau, je m'aurais pas risqué, je sais pas nager.

— Si t'avais su nager, on t'aurait pogné à l'accostage et t'étais fait.

— Au moins, j'aurais point avalé la moitié de la mer et ses poissons.

— Si t'avais point bu à la grand'tasse, personne aurait eu compassion, ni le contentement d'avoir rescapé un noyé. Et t'aurais passé au tamis.

— Pour me réduire en farine ?

— Pour t'arracher le secret de tes origines.

Le fils du conteur Dieudonné, ébloui, aurait voulu poursuivre le dialogue à l'infini et préparait déjà sa prochaine relancée dans les origines, quand la femme de Sullivan vint annoncer le repas.

Après être passé par la litanie des fléaux : Protégez-nous, Seigneur, de la peste, la famine, le froid, la guerre, le tonnerre, la grêle, les ouragans et toutes les intempéries, voilà qu'il était tombé dans le vestibule du paradis, chez des cousins de la baie Sainte-Marie, des Comeau, Boudreau, Thériault, Melançon, Chiasson, LeBlanc, et un Sullivan pour faire dresser les oreilles du nouveau venu. Bien sûr, Sullivan, l'Irlandais par ses lointains ancêtres, mais né, élevé, nourri de la matière d'Acadie et qui défiait ses voisins à mille lieues à la ronde, c'est-à-dire de Punico à Grand-Pré, en enfilant l'Anse-des-Belliveau, Météghan, Saint-Bernard, la Pointe-de-l'Église et…

Et Raphaël se laissait bercer par la litanie des villages de son pays qui répondait à celle des fléaux du monde acharnés contre lui.

Entouré des cousins de ses aïeux dont les descendants vivaient là-bas, plus haut, dans la province voisine, Raphaël aurait bien consenti à jeter l'ancre ici, à Météghan, chez l'intrépide bourlingueur-conteur Sullivan. Les femmes se chamaillaient à savoir qui le remplumerait le plus vite, de la grosse Françoise avec son pâté à la râpure, ou d'Yvonne au Petit-Jean avec son chiard, ou de Marguerite à Yutte avec son fricot à la poule. Le voleur de poules eut un sursaut au seul nom de la volaille et sentit son estomac se contracter. Mais Marguerite à Yutte était la meilleure conteuse après le capitaine Sullivan, et Raphaël…

— Qui était Saï Amateur?

Ainsi de Saï à Mateur à Jérôme aux jambes coupées, il savourait les histoires plus vraies que nature de la diseuse qui remplissait à mesure son bol de fricot.

— Pornez garde de le gaver, le pauvre petit a la panse fragile.

Qu'importe la panse ou l'estomac! Le pauvre petit avait le cœur si réjoui qu'il eût traversé dix océans et cent hivers pour une seule nuitée, tout enroulé dans le giron de Marguerite à Yutte.

Raphaël en vint à consulter son frère.

— Tu penses pas qu'on est à peu près quasiment rendus?

… Rendus chez des cousins de loin.

— C'est quand même le pays. T'as vu le nom du village, l'Anse-des-Belliveau?

… Han-han.

— Qu'est-ce t'en dis? Manger à sa faim, dormir au chaud… qu'est-ce t'en dis?

… …

— Parle, que je t'entende! Icitte les femmes font leur pain, les hommes font la pêche tout l'été et l'hiver ils construisent des bâtiments. Qu'est-ce t'en dis?

Ludovic n'eut pas le temps de répondre. C'est la Badgeuleuse qui s'amena, le visage plus chiffonné que la feuille de papier qu'elle avait dénichée dans le livre ratatiné des *Morceaux choisis*. Personne n'avait accordé d'importance au sac resté solidement amarré au dos du rescapé. Sauf la Badgeuleuse, toujours première à fourrer son nez dans les affaires des autres. Et voilà qu'elle l'avait planté cette fois dans les seules affaires qui restaient à Raphaël sorti miraculeusement des eaux glacées de décembre. Des sous-vêtements confits dans le sel, peuh! jetez-moi ça dans le poêle à bois! une musique à bouche, rouillée mais qui sonne encore, un gros livre enchifrené… pas un croûton de pain, pas de quoi se nourrir, mais un livre! Et la fouineuse avait entrepris de lui repasser chaque feuille. Et c'est là, entre les pages 120 et 121, qu'elle fit la découverte du certificat de naissance de Raphaël. Elle cria si fort, la Badgeuleuse, que le gratin de la baie Sainte-Marie vint aux nouvelles, vent devant.

On appela le plus âgé des inspecteurs d'écoles qui chaussa ses lunettes, leva le menton jusqu'à ravaler sa

69

pomme d'Adam, plissa les yeux, les agrandit, les replissa, puis déclara le certificat illisible. Aussitôt Éphrem, qui était passé par la petite école à peine le temps d'apprendre à lire entre les lignes, s'empara de la feuille et… la passa à un ingénieur des ponts et chaussées qui l'abandonna au forgeron, puis à Pierre, à Jean à Jacques à Marie-Catherine qui le rendit à Raphaël.

… Josep… Ra… ph… l… Lu… o… ic…

Quoi?

Il plonge le nez, les yeux, balaye de ses cils la feuille pâlie tachetée de moisissures et découvre qu'il porte tout au long les noms de Joseph Raphaël Ludovic Belliveau! Il se retourne, cherche à rattraper son frère avant qu'il ne s'enfuie, l'imposteur, et ne réapparaisse plus jamais.

— Non, Ludovic, reviens!

Mais l'autre ne répond pas.

Avec des papiers en règle, un certificat de naissance – peu importe son piètre état, on y lisait quand même des dates –, il était né, avait vécu, était toujours en vie, il s'appelait Raphaël pour vrai, un nom d'archange, plus un nom de famille, certifié Belliveau, authentique descendant de…

Et c'est Sullivan encore un coup qui vint jeter la plus étincelante lumière sur les origines glorieuses des Belliveau issus du capitaine de ce nom, héros de la Déportation qui disputait à Beausoleil le titre de rescapeur de son peuple. La légende du capitaine Belliveau, que s'étaient passée les conteurs de cinq ou six générations pour aboutir enfin dans le répertoire de Sullivan, fit un tel effet sur Raphaël qu'il en oublia sur le coup l'hospitalité, les douceurs, les promesses de ses sauveteurs.

— Non, Ludovic… Ludovic?

… Je suis là.

— Faut repartir, nos ancêtres sont au nord.

Les cousins de la Nouvelle-Écosse comprirent que le dernier des rescapés devait rentrer chez lui, au Nouveau-Brunswick, dans le village de… Raphaël bredouilla, chercha dans sa mémoire infaillible qui le laissa tomber. Son père l'avait toujours appelé « le coin », qu'il avait embelli de « village des côtes », « terre promise », « pays des aïeux ».

— Un gros village entouré de plus petits, au bord de l'eau. Entouré d'eau : une baie, des anses, trois ou quatre rivières et une dune !

— Ça serait pas Shédiac ?

— Non.

— Richibuctou ?

Raphaël se concentre : buctou… buctou…

— Pas Richibuctou.

On traça la route de Grand-Pré à Truro à Amherst à Beauséjour…

— Pantoute, que le revenant passe par Digby et prenne le traversier.

Au nom de traversier, Raphaël sursaute. Mais les autres sont fermes, faut prendre le raccourci. Tu débarques à Saint-Jean et tu es au Nouveau-Brunswick. Tu prends ton billet… Raphaël est sans le sou. Il n'a plus que les hardes usagées dont on a revêtu le rescapé des eaux, son harmonica rouillé et ses *Morceaux choisis*. L'œil de l'inspecteur s'allume, Raphaël l'a vu et serre le livre contre sa poitrine : jamais, jamais il ne se défera, juré, de cette mémoire-là, celle qu'il n'a pas achevé d'apprendre par cœur.

Sullivan intervient.

— Le commis voyageur amènera le jeune homme à Digby et lui achètera son billet.

Et le capitaine enlève sa casquette, y dépose la première pièce puis lui fait faire le tour de l'assemblée. Deux ou trois pères de famille se désistent, honteux, mais après deux tours, le compte est bon.

Le pèlerin en route vers la terre promise ne réussit pas cette fois à s'esquiver. Il ne put se soustraire aux adieux dont, des millénaires plus tôt, il avait privé son père. Nenni. Durant les millénaires que le destin lui réservait, il allait se souvenir du pain frais et du pâté à la râpure, des chansons à répondre et jacassages et danses carrées, de l'histoire de Saï Amateur et de Jérôme aux jambes coupées, des contes et légendes, de la Badgeuleuse, de Marguerite à Yutte et, par-dessus tout, du capitaine Jos Sullivan. Impossible de se camoufler, de retenir ses larmes, ses émotions lui sortaient par la peau comme une urticaire.

Il s'embarqua seul, sac au dos, ticket en main, et au plus creux de sa poche, son certificat de naissance, repassé au fer chaud et plié en quatre. Joseph Raphaël Ludovic mettrait bientôt le pied en terre natale, l'Acadie ressuscitée et retrouvée, et rentrerait dans sa nouvelle vie la tête haute, comme un seul homme.

Il garda la tête haute tout au long du démarrage, puis de la lente sortie du port de Digby, jusqu'au vrombissement des moteurs qui lançaient de front le navire sur la vague de la baie de Fundy, reconnue pour ses plus hautes marées au monde. Raphaël a le temps de les voir approcher avant de laisser sa tête se courber, son cœur chavirer et son estomac rendre par-dessus bord à la Nouvelle-Écosse jusqu'au souvenir du pâté à la râpure et des pets-de-sœurs qui ont tant égayé son âme et ses tripes durant ses retrouvailles avec le pays. Il ne veut pas pleurer, ni appeler son père, ni crier après Ludovic, il veut crever, juste crever. Mais avant de trépasser, il a le temps de se souvenir du farceur qui demande à celui qui n'est pas passé par là :

— Tu connais le pire moment du mal de mer?

— Quand tu crois que tu vas mourir.

— Non, quand tu crains de point mourir.

Et il réussit à se dérider par secousses à travers ses hoquets. Puis il se laisse écraser sur le pont et se roule de rire.

C'est fini. On vient d'accoster.

Le port de Saint-Jean, métropole de sa province. Il était au Nouveau-Brunswick, au cœur de la nouvelle Acadie.

Alors Raphaël, lançant de loin la main à Ludovic, sauta de la passerelle, se coucha à plat ventre pour baiser le sol, puis sentit juste à temps la botte d'un passager qui, en l'enjambant, frôlait son sac à dos. Aussitôt il se souvint de Scapin, rebondit comme un ressort, dressa les bras au ciel et affronta le soleil qui se pointait à l'horizon :

— J'suis rendu, Dieudonné !

Il fit une pirouette et partit en solitaire, tout droit vers le nord, puis s'arrêta d'un coup sec et, dans un pas redoublé, retomba sur le pied gauche, pour la chance.

2

LA CHUTE

Rien ne sert de courir, il faut partir à point.

Grand temps. Surtout pas s'attarder dans Saint John, ville des loyalistes, c'est Sullivan qui l'a dit. Et si quelqu'un s'y connaît en bourlingage, c'est bien Sullivan. Hâtons-nous. Prendre par le nord-est, l'Acadie s'étale le long des côtes. Suivre la mer, l'eau. Mais y a de l'eau partout. Saint-Jean baigne dans l'eau. Avec ses chutes contre nature qui remontent à rebours, phénomène unique au monde, et son port picoté de navires venus des quatre océans… ostine-moi pas, Ludovic, y a pas cinq océans… un bassin avec un pied dans l'Atlantique et l'autre dans la baie de Fundy qui tire son nom de baie du Fond… pas lu ça dans les *Morceaux choisis*, non, mais il le sait, l'a appris très jeune, a reçu très jeune la moitié des connaissances qui gigotent et s'entrechoquent dans sa caboche. Pas tant que ça, exagérons pas, son bagage de savoir est encore mince, Raphaël s'en rend compte à mesure qu'il avance dans la vie, déjà quinze ans et il ne sait presque rien, même pas le nom du village où loge sa tante, femme d'Elzéar Belledune. Au moins il connaît ce nom-là, assez rare pour finir par le déterrer, l'oncle devrait-il se nicher au bout du monde.

Encore la maudite crampe, la faim. Le froid aussi, mais ça s'endure. Marguerite à Yutte lui a filé en cachette le mackinaw, genre de veste à double doublure, de son gendre. Qui a dû hurler toute la nuit, mais cela n'est plus du ressort de Raphaël, il est rendu en terre promise, quasiment, presque quasiment, faut tenir le coup encore un bout, jusqu'à… Il s'arrête, tend l'oreille : d'un coup qu'une femme ou un enfant parlerait avec l'accent? Celui-là serait de sa race et saurait l'orienter. D'abord sortir de la ville portuaire, par la bonne porte, plus de temps à perdre, *rien ne sert de courir*, mais faudra partir dans la bonne direction. Ça sera pas dit que si proche du but, tout pourrait foirer, à cause d'un mot, le nom d'un village.

Il aurait bien pu attendre le réveil de son père, ça l'aurait pas tant retardé.

— Ah oui? Et si ton père t'avait dit : Pas aujour-d'hui, c'est pas encore le temps?

C'est quand le temps pour partir, le bon moment, l'heure exacte pour décider de ta vie, pour répondre à l'appel?

— Y a-t-y un temps pour ça?

Un bruit de sirène, la vache marine. Le traversier Digby-Saint John qui repart. Mais qu'il ne compte pas sur Raphaël pour faire le voyage de retour. Plus jamais pour lui de ferry-boat sur la baie aux plus hautes marées du monde! Et le jeune conquistador se prépare à montrer le poing au port loyaliste, quand il manque de se faire renverser par un camion de pompiers. Saint-Jean n'est pas New York, mais c'est quand même une cité, ville portuaire. S'en éloigner au plus vite.

Plus tard il se souviendra du chapelet de petites villes ou de gros villages qu'il traversera, à pied, en charrette, en camion chargé de poissons ou de billots, et s'efforcera de les graver dans sa mémoire. Il se rappellera qu'il avait constaté les similitudes et les différences entre ses deux pays : une Amérique USA au sud, au nord une Amérique canadienne. Il était encore jeune pour se prêter à une analyse socio-historique de deux peuples nés en même temps aux deux extrémités d'un même continent. Mais depuis son court séjour à la baie Sainte-Marie, il avait compris que le peuple acadien était marqué par un menu quelque chose d'indéfinissable, d'entortillé, de mystérieux. S'il avait été plus savant, il aurait dit : un peuple emberlificoté dans ses paradoxes. Il possédait pourtant une certitude, ce peuple était le sien, une tare ou un atout, allez savoir ! Qu'il devrait traîner ou faire fructifier le restant de ses jours.

Ses jours présents se succédaient sans se ressembler. Car après avoir quitté la grande région métropolitaine, puis traversé les comtés anglais de Kings et d'Albert, il happa une camionnette qui ne dit pas : *Come on in, boy !* mais : *Ayoù-ce tu vas, flanc mou ?* Il était rendu en territoire acadien. Rendu itou au cœur de l'hiver. Une effroyable bourrasque avait frappé la veille. Les chariots et charrettes seraient rangés jusqu'au printemps. Et les routes, au dire du camion, ne laisseraient bientôt plus passer les Buick ni les Ford à palette. Il était grand temps d'arriver et de répondre à l'*Ayoù-ce tu vas ?* Par… s'il avait su par quoi, le flanc mou eût évité bien des rallongements et gagné du temps. Se serait épargné le détour par Memramcook, Scoudouc, Aboujagane et Barachois.

En franchissant Shédiac, il se souvint du village entouré d'eau et de dunes…

— Le Grand-Petit-Havre ? s'enquit le curé de Grand-Digue.

Quand Raphaël franchit à pied le pont du Grand-Petit-Havre, il s'arrêta en plein mitan, hors d'haleine, gelé de bord en bord, mais le front haut et le cœur en joie. Il leva la tête pour mesurer la hauteur du pont, voulut compter ses travées, une, deux, trois, puis la bise lui gela les chiffres sur les lèvres. Au plus vite se remettre en marche. Plus rien qu'un demi-mille, un quart de mille, un souffle de trente pas, et tu seras rendu, flanc mou! Une seule famille porte le nom de Belledune, t'auras pas à t'émoyer deux fois.

Une petite maison en bardeaux blancs, aux fenêtres doubles givrées, à la porte d'en avant fermée à double tour. Pas de sonnette, il cogne. Cogne de nouveau, un peu plus fort. Ajuste sa casquette pour dégager ses oreilles qui n'auront pas le temps de geler, la porte finira bien par s'ouvrir, il voit de la boucane sortir de la cheminée. Pas le temps de geler ni de lâcher, frappe plus fort, plus fort que le sifflement du vent qui s'engouffre en même temps que lui au moment où la porte s'ouvre.

On l'attendait. Tôt ou tard, il devait bien arriver. La rumeur l'avait précédé. Et ce fut le premier constat de Raphaël en terre du bouche à oreille. Son histoire ne lui appartenait plus.

De toute sa vie, sa mémoire retiendra cette petite heure comme le condensé de son histoire personnelle, de sa propre épopée. L'euphorie de la victoire, la joie des retrouvailles, l'interrogatoire, les échanges cordiaux, puis polis, l'hésitation, le doute, le balancement du pour et du contre, la méfiance, le rejet. En moins de soixante minutes, son sort était jeté. Un gringalet de quinze ans, même neveu, était de trop dans une maisonnée déjà pleine, où les matelas étaient comptés, les places à table occupées, les gages d'un seul homme, fût-il officier de pêche, ébréchés par la Crise…

La maudite Crise! Raphaël qui avait cru bêtement laisser ce mot derrière lui, voilà qu'il le rattrapait jusque dans son rêve à portée de main. Le rêve que le jeune prodige avait nourri et soigné depuis que son père visionnaire débauché par l'alcool lui avait fait croire à son destin, à son étoile qui l'avait porté victorieusement de son pays natal à sa terre première, à travers toutes les vicissitudes imaginables : la faim, la peur, l'abandon, les découvertes, la camaraderie, l'apprentissage, les ruptures, la trahison, les intempéries, les nouveaux espoirs, la poursuite, la détermination, les retrouvailles… en une heure, sa cathédrale s'effondrait. Tout était englouti.

Il entendit sa tante plaider contre son homme, d'une voix faible et accablée mais persistante : c'était un enfant, fils unique de son frère, orphelin de naissance et qui venait de loin, la famille pourrait se tasser un peu plus, manger un peu moins, s'accommoder, la Dépression finirait bien par passer, la misère peut pas durer toujours, pas durer éternellement. C'est la souffrance creusée entre les plis du front de sa tante que l'orphelin ne put endurer plus longtemps. Il chaussa ses bottes, endossa son sac par-dessus son mackinaw, fit le tour des sept ou huit têtes de cousins, cousines qui n'avaient pas dit un mot depuis l'arrivée du père et, sans même embrasser sa tante qui s'approchait de lui, Raphaël lui glissa la main sur sa joue mouillée, força un sourire plaintif qui cachait et révélait tout, jusqu'au plus vif de son âme, puis il s'engouffra dans la seule grande rue du village.

Va pas rechigner, Raphaël, t'as réussi à atteindre le premier but avant Noël, il te reste tout l'hiver pour compléter ta *home run*. Il ricassa, puis dans sa détresse se moqua d'avoir emprunté sa première image au baseball, lui qui dans ce sport national américain ne s'était jamais rendu plus loin que le champ arrière.

Il passa sa première nuit en son pays d'adoption à se chercher un abri. Il n'osait cogner aux portes, toutes fermées sur les misères de la Grande Dépression. Il ne cognait plus que son front : alors que durant des mois il avait vu la Crise ravager l'économie de l'État le plus progressif et industrialisé du globe, comment avait-il pu s'imaginer que le krach qui frappait le monde entier aurait pu, par une improbable distraction, épargner le coin de pays le plus exposé aux jeux du hasard et des probabilités ? Au nom de quelle complaisance, de quel parti pris la terre de ses ancêtres aurait-elle seule bénéficié de la clémence des dieux ?

Pas de passe-droit pour personne, mon vieux, t'es tombé sur une planète et dans un siècle à griche-poil, t'as beau avoir ton destin et les promesses de ton père de ton bord, t'es dans le trouble. Et qu'est-ce que fait un gars mal pris ? Il se déprend, comme disait Dieudonné, et comme aurait ajouté le clown Scapin s'il avait mieux parlé ta langue : Sers-toi de ta jarnigoine, fils d'archange. Comment vivent les animaux dans les bois l'hiver ? Et les Esquimaux du pôle Nord ? Grouille, flanc mou ! Trouve-toi un igloo.

C'est ainsi qu'en voulant s'aménager un trou dans une butte de neige en haut d'un champ, il se découvrit un repaire inhabituel. Il n'avait que ses pieds et ses bras pour creuser et c'est son poing qui sonna l'alarme : de la ferraille. Un mur de fer. Une porte, des roues, un capot : une voiture complète se cachait là, sous la neige.

C'est bien après, en fait un jour ou deux plus tard, qu'il apprendra qu'il venait de déneiger une limousine de contrebandier. Et il lui faudrait encore des mois pour comprendre pourquoi ces voitures se terraient l'hiver. Mais pour l'instant, son cerveau ne lui parlait que de se nourrir, se réchauffer et dormir. Et faute de pain et de chaleur, il se déblaya un chemin jusqu'au siège arrière du véhicule enfoui, se recroquevilla comme un chat-cervier et sombra dans un sommeil enneigé.

Sans rêves. Une seule image qui persista toute la nuit : un point noir, enveloppé de froid. Quand il s'étira les membres et chercha à détordre son corps, il eut la vague impression, non pas de se réveiller, mais de sortir d'un anéantissement. Et c'est là qu'il se réveilla pour de bon. Il avait appris dans son lointain passé que la plus dure des morts est de trépasser par le feu, et la plus douce, par le froid. Il ne devait plus jamais, tu entends, Raphaël ? jamais plus se laisser bercer à mort dans la douceur de l'engourdissement.

Belle promesse, mais comment la tenir ? Le froid semblait parti pour durer, durer jusqu'à la fonte des neiges. Il pouvait toujours ragorner de la nourriture en tournant autour des pêcheurs d'éperlans au bout du quai, ou bien derrière les hangars où chaque maisonnée laissait geler ses déchets de table. Il réussit même en cassant un carreau de fenêtre à pénétrer dans une de ces sheds où l'on stocke de la morue salée, des pommes de terre germées, du grain, jusque de la mélasse à demi congelée. Et la nuit, il retournait à sa voiture enfouie sous la neige.

Comment il se trouva à changer de domicile, ça... Raphaël lui-même avait beau se gratter les méninges, il n'arrivait pas à suivre la logique des événements qui s'étaient enchaînés de toute façon dans le plus total illogisme. À peine quelques bribes de phrases envolées du magasin général, puis répétées sur le perron de la banque, rebondies sur les pilotis d'un hangar à poissons, et voilà que Raphaël avait saisi au vol son nom ébréché en Phaël au milieu de la rumeur où il finit par comprendre qu'on parlait de lui. Avait-il vraiment entendu Phaël? N'était-ce pas plutôt les dernières syllabes d'orphelin? Orphelin ou Raphaël, il ne faisait aucun doute qu'on parlait de lui. Le village avait donc su qu'il rôdait autour, pris conscience de son existence. Mais connaissait-on ses origines, ses liens de parenté avec les Belledune? Tant de vagabonds écumaient les côtes ou le haut du comté en ce début des années trente, qu'un de plus ne pouvait émouvoir une population condamnée sur tous les fronts. On racontait même qu'une famille qui mourait de faim avait grignoté les franges d'une vieille peau de vache qui avait servi de tapis, ou qu'une autre empilait dans le poêle à bois ses barreaux de chaises et pattes de table pour se tenir au chaud. On aurait raconté n'importe quoi pour se forcer à rire et se remonter le moral.

Mais Raphaël continuait à croire qu'il avait entendu son nom surgir au beau milieu d'une harangue sur les sheds et les granges abandonnées. D'où la déduction et enfin la logique…

— Une grange, Ludovic?

C'était la première fois depuis ses adieux à son frère qu'il s'entendit l'appeler. Seul Ludovic aurait la clairvoyance, le courage, la ténacité…

… Vas-y, branleux, vide-toi le cœur et la caboche.

Une toute petite grange, isolée, qui avait l'air de n'appartenir à personne. Pas barrée, évidemment; dans un village où l'on ne fermait pas à clef les maisons, on ne se formaliserait pas pour une grange. Vide en plus, avec une motte de foin dans l'aire, le vagabond aurait tout le loisir de s'allonger les jambes. Une trouvaille! Pas même des animaux pour l'empêcher de dormir... point non plus pour le réchauffer, tant qu'à ça. Et le maigrelet qui avait vu fondre les dernières laizes de graisse qui lui enveloppaient les os, se mit à rêver du souffle des bêtes qui avait tenu au chaud l'enfant Jésus en personne la nuit de Noël. Mais il était à l'abri, cette grange délabrée n'attirerait sûrement pas les rôdeurs malfaisants. Après sa première nuit, elle cessa cependant d'attirer Raphaël qui avait grelotté jusqu'à l'aube.

Mieux valait s'approcher du centre, trouver une grange bardochée, tout au moins calfeutrée contre les vents de nordet et de noroît. Et il passa une journée entière à inspecter les maisons assez respectables pour entretenir sa grange. Après un tour complet du village de trois à quatre cents feux, il promena des yeux admirateurs sur une maison à deux pignons et se mit en quête de sa grange.

Il s'y glissa à la tombée de la nuit, après que tout le pays fut entré dormir. Il découvrit un espace presque aussi vaste que le hall de l'hôtel Astoria et dilata ses narines, mais ses narines ne se remplirent que des relents d'avoine et de foin. Au moins il serait au chaud. Il se rappela les pirouettes de son ami Scapin et des clowns du cirque et enjamba en deux temps trois mouvements les remparts de l'aire de la plus somptueuse grange des côtes. Il s'y fit un nid, sourit, siffla un air fripon, cria bonne nuit à Ludovic, à Dieudonné, à tous les autres... puis se laissa glisser dans les rêves.

Est-ce qu'il rêvait? Des cloches, à toute volée, de la musique, des chansons, des chants connus, si fait, il reconnut les airs, des airs de Noël! Pas possible, c'était la nuit de Noël, on était rendu au 25 décembre, et Raphaël n'avait rien senti, rien vu venir.

Il s'enfonça la tête dans les mains et sanglota comme un enfant d'école.

Ce n'est qu'au petit matin, après sa première nuit d'un sommeil ininterrompu, qu'il se dressa sur sa paillasse de foin, secoua les brindilles qui s'accrochaient à sa culotte et son mackinaw, puis sortit inspecter les lieux. Et c'est là qu'il reçut en pleine face le derrière rond de l'église, à côté du presbytère. Il avait élu domicile dans la grange du presbytère. Eh ben, mon gars, après la Grand Central Station et l'Astoria et la cathédrale de New York, la grange du curé de la paroisse de la terre de tes aïeux! Il esquissa le geste de se péter les bretelles, mais il y avait belle lurette que sa culotte tenait amarrée à sa taille par un câble.

Combien de matins plus loin – il ne comptait plus les jours qu'en nombre de repas, et c'est ainsi qu'il finit par perdre la notion du temps –, mais un matin plus loin, il fut réveillé par un cri étouffé:

— Quoi-ce que tu fais là?

Raphaël veut rebondir sur ses ressorts, mais la femme le retient coincé.

Une femme en bottes de caoutchouc, le devanteau dépassant de six pouces un châle de laine du pays, les mains sur ses hanches d'homme, le visage long comme l'hiver qui encadre un nez de corbeau, les narines grandes ouvertes et l'œil gauche en accent circonflexe. L'apparition le tient cloué au sol. Il ne bouge pas, elle non plus, mais les deux se mesurent. Elle finit pourtant par reculer de trois pas et le laisser se remettre sur ses jambes. Il prend tout son temps pour se dérouiller la gorge:

— Mam'zelle Clémentine?

Elle entendait son nom pour la première fois depuis des lustres. Elle savait, bien sûr, qu'elle se nommait Clémentine, mais ne s'était jamais entendu appeler sur cette tonalité, couronnée du mademoiselle en plus. Et d'une voix qui même en mue n'avait rien des sons rauques de la bande à Boy à Polyte qui venait mettre son nez dans son châssis et lui hucher des noms. Elle leva le menton :

— Qui-ce que t'es ?

Sa voix aussi a mué, a baissé d'une demi-octave, Raphaël s'amuse à l'entendre sortir des tuyaux d'une cornemuse... de la veuze, selon l'expression de Dieudonné. L'apparition de son père l'encourage :

— Je suis le garçon à Dieudonné Belliveau, anciennement de la paroisse Saint-Jean-Baptiste.

Décidément, son père l'accompagne et l'inspire. Devant la servante du curé, l'idée n'est pas mauvaise de se blottir sous l'aile du saint patron de la paroisse. Mais la servante n'est pas dupe :

— Et ce dénommé Dieudonné a point un pignon de bardeaux pour abriter son garçon à dix en bas de zéro ?

Ça se corse. Tout avouer tout de suite ? Tergiverser ? L'emmener voyager dans ses chimères ? Il prend le risque de faire durer le plaisir. Depuis des jours, des semaines qu'il n'a pas entendu le son de sa propre voix, pas échangé des phrases complètes depuis Sullivan et Marguerite à Yutte,... Oh ! voilà qu'après son père lui apparaît Marguerite à Yutte.

— Vous connaissez une certaine Marguerite à Yutte de la baie Sainte-Marie en Nouvelle-Écosse ?

La servante du prêtre se renfrogne. Quelle sorte de gibier lui a tombé dans le giron ? Une femme qui porte un nom pareil, une Ayutte, en Nova Scoché...

— Quoi c'est que le genre de tribu que tu fréquentes, à ton âge ?

La réponse de Raphaël le surprend lui-même autant que son interlocutrice :

— J'ai faim.

Puis il se hâte d'ajouter :

— La vieille Marguerite à Yutte faisait le meilleur fricot à la poule qu'un chrétien a jamais mangé.

Un silence plus long que le visage de Clémentine, plus long que le plus long hiver de Raphaël. Puis, soudain, un rayon de printemps.

— Mouche-toi le nez pis suis-moi. Ben, tu prendras le temps d'essuer tes bottes sus le marchepied avant de passer la porte. Et tu parleras tout bas.

Ils passèrent la porte d'en arrière qui conduisait à la remise où la servante gardait sa réserve durant les saisons froides.

Elle n'avait pas à s'inquiéter, le fugitif n'avait aucune intention de réveiller le monde, surtout pas le curé. Il n'avait de langue que pour déglutir, de gorge que pour ingurgiter son premier repas chaud depuis le pays de Jos Sullivan et de Marguerite à Yutte. Et Clémentine, en fermant à demi les yeux, sentit ses propres lèvres s'écarter comme si elle-même se trouvait devant le fricot à la poule de la baie Sainte-Marie en Nouvelle-Écosse.

Elle avait du caractère, Clémentine, ne courbait les épaules devant personne, hormis devant le curé. Et tout le monde vous dirait qu'elle ne les courbait pas vraiment, qu'elle ne se pliait que pour les apparences. Ou pour éviter le pire. Le jour qu'elle introduisit le jeune mendiant affamé dans sa cuisine, elle prit la précaution de ne pas avertir le prêtre, jouant sur les deux tableaux du rien cacher, rien avouer, aussi longtemps que rien ne se révélait au grand jour. Quand la souris sortirait du sac, il serait toujours temps de négocier. En attendant, elle portait secrètement à Raphaël dans son aire de grange une écuelle remplie des restants de table normalement destinés aux poules et aux cochons qui ne tardèrent pas à se plaindre à l'Église. Ça jacassait et grognait dans les deux tets.

Raphaël s'émoya : un tet ?

— Tet à poules et tet à cochons, qui peut se dire itou un poulailler et un... une...

Raphaël vint à son secours : Clémentine ne connaissait pas le mot *porcherie*.

— Où-ce t'as appris tout ça ? à commencer par mon nom ?

Raphaël agrandit les yeux et resta bouche bée. D'où lui venait la mémoire du nom de Clémentine qu'il ne connaissait ni d'Ève ni d'Adam ? D'un récit oublié de son père ? D'une feuille volante tombée par hasard dans son cerveau ? Quelqu'un avait dû lui parler d'elle, mais qui ? Depuis son arrivée au Nouveau-Brunswick, il n'avait échangé qu'avec des vagabonds, des chauffeurs de camions ou des... avec le curé de Grand-Digue, soudain il se souvient, qui le premier avait mentionné le Grand-Petit-Havre. En faisant filer son doigt sur la carte de la côte est, il avait parlé de son confrère, monseigneur Théophile... on y mange drôlement bien... qu'il insistait, Raphaël se souvient, on y mangeait bien, mangeait à son soûl, et Raphaël, qui ne pensait plus qu'à manger, avait oublié tout le reste... jusqu'au nom de Clémentine qui avait dû glisser des lèvres de l'opulent curé de Grand-Digue.

— Votre nom, mam'zelle Clémentine ? Quand on l'a entendu une fois, on l'oublie jamais, c'est comme une orange, son jus vous reste collé au fond du palais.

Et il crut voir la servante poser ses deux mains sur sa maigre poitrine.

Ce qui devait arriver tôt ou tard arriva. Trop tôt. La lune de miel entre le fugitif et sa mère nourricière fut éventée. Par nul autre que Peigne, le plus inoffensif des itinérants et seul compagnon de route de Raphaël. Tout s'était passé si vite et si inopinément que ni la prudence de Clémentine ni les multiples ruses de Raphaël ne réussirent à parer le coup. Mais que le coup vienne de Peigne !... oh ça !

Bien malgré lui, même Raphaël en conviendra. Peigne n'avait de sa vie voulu de mal à personne. Au contraire, si quelqu'un était prêt à risquer son salut, son honneur, sa sécurité, lui qui n'avait jamais aspiré à rien de ça, c'était bel et bien ce fils abandonné à vents et marées, qui fut le seul à ne pas souffrir de la Crise, étant né dedans avant même qu'elle ne se déclare.

Récapitulons.

Un soir que le domicilié de la grange était entré chez lui, il avait su tout de suite que la porte avait été forcée. Non pas la serrure, pas de serrure aux portes de grange, mais la porte. Car Peigne ne faisait jamais rien comme tout le monde. Une porte, c'est une porte, et il avait appris dès sa première effraction à défoncer les portes ouvertes. C'était la manière Peigne de prendre possession des lieux. Nulle explication fondée sur la raison ne pourra jamais justifier le comportement de celui qui se définissait lui-même comme l'égaré des Trou-Jaune. Selon lui, les siens n'ayant jamais appris à compter au-delà de douze, sa naissance fut automatiquement décomptée, et Peigne fut désormais classé treizième d'une famille de douze. Douze paillasses, douze places à table, douze effarouchés à prendre la frousse d'escampette et le mors aux dents à chaque arrivée du père Trou-Jaune, soûl comme une botte. Hormis le treizième, Peigne le soi-disant sourd-muet qui n'entendait que les mots de son choix et ne se parlait qu'à lui-même.

Voilà l'intrus que Raphaël découvrit dans son nid de paille en cette veille de la Chandeleur.

La première heure, le muet se tut. Les deux se toisaient, non, Raphaël fixait Peigne qui regardait ailleurs.

Puis Raphaël s'enhardit et se mit à converser avec ses mains, puis à monter la voix d'une coche. Mais à mesure qu'il entendit sortir de la bouche du muet des mots à multiples syllabes qui s'efforçaient d'échafauder des phrases, notre héros entra si bien dans le jeu qu'en une seule nuit il parvint quasiment à déchiffrer le cerveau, le cœur, le combat d'un personnage qui allait bien vite lui entrer dans la peau. Et il se tut pour laisser l'autre lui ouvrir la porte de son mystère.

Peigne a-t-il vraiment parlé, vidé son âme goutte à goutte directement dans l'imagination de son interlocuteur, sans passer par ses oreilles ou sa raison? Raphaël ne saura jamais départager le réel du fictif du discours de celui qui passait pour sourd. Et bien sûr muet, qui en était la conséquence logique.

… Depuis que chus au monde que je passe pour sourd. Pis muet va avec, apparence. Je sais pas pour quelle raison, rapport que moi je m'entends. Faut croire que chus point vraiment complètement sourd en totalité, j'entends même voler une mouche. Pas là, pas l'hiver dans une grange. Ben j'entends parler autour. Pis comme personne me parle à moi, je fais rien qu'attraper des mots ci et là. J'en attrape par grappes, une beauté de mots, des tonnes de mots. Des fois, malaisé de les coller ensemble. Pis je me laisse aller. Point un sourd total et absolu, pas de raison d'être sourd-muet. Que je m'ai dit. Ça fait que par les petits je m'entraîne à parler. Des fois ça ressemble plusse à des geints, hurlements, criailleries, façons de gargouillages qui montent dans le gosier comme du crachat de poule. Pis des glouglous qui s'agloutinent en mottons qui me roulent entre le palais pis l'alouette, s'entortillent comme des anguilles dans la poêle, pis quand c'est que je rouvre la bouche pour envaler ma porridge, les mots s'englissent dehors et s'encognent partout, pis finissent par s'enrouler autour des têtes... Ben tout le monde les chasse comme des mouches pis... pis ça fait que je parle tout seul.

Première élucubration sortie par bribes de la gorge de Peigne, fouillis que Raphaël réussit à reconstituer. À partir de ce jour-là, le fils de Dieudonné prit sous son aile le treizième des Trou-Jaune en lui jurant qu'il n'aurait plus jamais à parler tout seul.

— Tu parles, Peigne, tu m'entends? T'entends, le sourd-muet? T'as plusse de mots que tout le monde, plusse de jarnigoine itou, t'es le seul qu'est parvenu à garder ta graisse sur tes ous dans les pires temps qu'ont frappé le pays. Prends ben garde de croire que t'es un arriéré et un moins que les autres.

Il enfonça son regard pointu dans les prunelles de son nouveau copain et attendit sa réponse.

— Han!

Bien, pas une longue réplique, mais elle prouvait qu'il avait entendu chaque mot de la phrase. Et à l'instant où il allait s'en contenter et lui brosser le fait de la tête, il reçut la suite dans un gloussement qui le mit en joie.

— Han!... Henri à Gros-Jean... point sourd non plus.

C'était l'aube, Raphaël ne pousserait pas plus avant son enquête, il aurait tout son temps pour découvrir

Henri à Gros-Jean, les Trou-Jaune, ces romanichels qui se terraient quelque part en dessous de la couche de ce peuple qui, même dans les pires années, gardait la tête haute.

La tête la plus haute était plantée sur les épaules de Monseigneur, tel que l'appelait l'ensemble de ses ouailles. On ne parle pas de l'évêque de Saint-Jean qui régnait sur le diocèse, mais du curé de la paroisse Saint-Jean-Baptiste du Grand-Petit-Havre qui, pour services rendus à l'Église, avait hérité du titre de Monsignor. Coquille vide mais coquille nacrée. Ceinturon et boutonnières violets, pompon violet sur la barrette, un filet de violet qui lui glissait sur le ventre tout le long des coutures de sa soutane. Et le dimanche, bas violets dans des souliers vernis. Don l'Orignal eut pour son dire que... mais sa femme le fit taire.

Peigne de même aurait dû se taire. Pour un muet, il avait raté l'occasion de sa vie de jouer le sourd. Mais depuis qu'il avait juré à Raphaël de sortir de son mutisme, d'entendre ouvertement et de laisser librement les sons s'arracher de sa gorge, il se surprenait à marmonner tout haut et à tout propos les mots qui tricotaient des semblants de phrases qui lui chatouillaient le gosier. Au point qu'il s'enhardit, un matin qu'il s'éloignait de la grange du presbytère, à apostropher le curé qui s'en allait dire sa messe :

— Salut ben à vous, Monsigneux !

Monseigneur allait répondre son machinal :

— Dieu te garde, mon fils !

... quand il sentit un os lui barrer la gorge. Il se retourna, vérifia qu'il s'agissait bien de Peigne le sourd, se figea. Quelques dévotes lui avaient bien attribué à lui deux ou trois guérisons miraculeuses : la disparition d'un chancre sur le ventre d'une vieille par la simple imposition des mains, la délivrance d'une hystérique atteinte de la danse de Saint-Guy et qu'on croyait possédée du démon et son plus spectaculaire miracle, la fin des visions d'une veuve joyeuse qui craignait la vengeance du défunt, l'éternel ratoureux que le prêtre avait sommé dans une diatribe en latin de retourner illico dans sa tombe. Mais faire parler les muets ? Qui avait osé ?

Il attrapa les oreilles du miraculé pour le soulever de terre. Ce jour-là, le pauvre Peigne avait quasiment regretté d'avoir recouvré l'ouïe à ce prix-là. Et quand le curé avait enfin relâché sa poigne et laissé Peigne retomber sur ses pieds, le pauvre avait pris ses jambes à son cou et se préparait à ficher le camp. Mais le prêtre eut le temps de le saisir par le col et de le traîner jusqu'à la sacristie.

La suite fut une dégringolade d'événements qui enchanta le village mais qui coûta sa grange à Raphaël. Par le truchement de Peigne, mais point par sa faute. Il n'avait fait que répondre à l'interrogatoire, embrouillant son discours à force de vouloir le simplifier, et pour rendre à Raphaël ce qui appartenait à Raphaël, c'est-à-dire la reconnaissance de lui avoir ouvert les oreilles et la bouche, il le perdit.

— Qui est Raphaël et qu'est-ce qu'il t'a fait ?

— M'a ouvert les oreilles pis déverrouillé la gorge.

— Tu parles au prêtre, représentant de Dieu, tu dois dire la vérité, toute la vérité.

— … ?

— Tu entends ce que je dis ?

Signe de tête de haut en bas.

— Alors la vérité… c'est quoi ?

— C'qu'on doit croire parce c'est Dieu qui l'a r'vélé.

Le prêtre sort sa montre de sa poche, les fidèles commencent à enfiler la nef.

— Tu sais pas comment il t'a guéri?

— Guéri quoi?

— Est-ce qu'il t'a imposé les mains sur la bouche, les oreilles?

Peigne avise les larges paumes du prêtre et s'attrape les oreilles.

— Écoute, mon garçon, tu vas rien cacher au représentant de Dieu, Dieu le père tout-puissant...

— Not' Père qui êtes z-aux cieux...

Le prêtre laisse échapper un long soupir. Un sourd-muet qui sait même ses prières, mais reste fermé sur son secret. Et dans un mouvement de dépit, il colle la tête de Peigne contre son ventre :

— Qui est Raphaël? Un archange peut-être?

Peigne se sent nerveux, commence à gigoter et finit par laisser un rire fou s'égrener tout le long des boutonnières violettes. Le prêtre thaumaturge se ressaisit, se gonfle les poumons et son visage s'empourpre. Sa voix descend puis remonte du fond de sa poitrine :

— Très bien, mon enfant, tu vas me conduire immédiatement, directement au logis de l'archange.

— Son logis?...

— Pas de logis? Où l'as-tu rencontré?

— Dans vot' grange. Y est sans logis.

Le reste de l'interrogatoire se termina dans la cuisine du presbytère, après la messe expédiée en un quart d'heure. Clémentine endossa tous les torts en pliant l'échine pour la forme, marmonnant des imprécations dans des mots d'excuses, mais sans une seule fois desserrer les dents ni les poings qui déformaient les poches de son devanteau. Elle comprit que le vent du nord n'avait pas fini de siffler par les fentes de toutes les granges et sheds et cabanes abandonnées le long des côtes.

Raphaël ne fut pas inquiété tout de suite, ne saisit pas sur le coup la gravité de la situation ; après tout, le curé n'avait aucune prise sur lui aussi longtemps qu'il quittait sa grange. Et le cœur bien en place, il entreprit de consoler Clémentine et de déculpabiliser Peigne, qui sans le vouloir l'avait vendu. Mais c'est là que le jeune héros de quinze ans qui ne s'était encore jamais frotté à la complexité de l'âme humaine, en voulant bien faire, fit plus de mal que de bien. Plus il cherchait à désamorcer la faute de son copain, plus le coupable en mesurait l'ampleur. Peigne n'avait de sa vie trompé, vendu, trahi ou manqué à sa parole donnée. Et quand, à force d'efforts de la part de Raphaël pour lui alléger la conscience, Peigne comprit qu'il venait de lui faire perdre son dernier refuge, il se cogna la tête contre la clôture de planches qui résonna comme un gong. Raphaël eut beau lui répéter que le prêtre n'avait aucune prise sur lui...

Le fils de Dieudonné se trompait : il devait rester longtemps aux prises avec Monseigneur, qui sentait mijoter au fond de ses reins une rancœur inavouée.

Mais pour l'instant, Raphaël avait d'autres chats à fouetter que la barrette fourrée du curé.

En voulant distraire Peigne de son chagrin, il se livra à ses meilleurs numéros d'Arlequin qui réveillèrent chez son ami le souvenir de la Chandeleur. On était le 2 février...

— ... bénédiction des gorges à l'église... qu'il bredouillait... si la marmotte s'aouint d'son trou et voit son ombre, on est pognés pour une dure hiver... faut faire le tour parmi les maisons pour chanter les escaouettes.

94

— L'escaouette?
Raphaël se souvient et entonne :

C'est monsieur le marié et madame mariée,
C'est monsieur madame mariés,
Qu'ont pas encore soupé.

Un p'tit moulin sur la rivière,
Un p'tit moulin pour passer l'eau.
Le feu sur la montain.
Boy run, boy run.

Et Peigne se tape dans les mains en riant du fond de la gorge.

C'était la première randonnée de Raphaël au cœur du village et en joyeuse compagnie des gais lurons qui cognaient aux portes en demandant la charité. Lui qui n'avait pas oublié la fierté de son père et pas osé, même au plus creux du désespoir, quémander aux portes, voilà qu'il se laissait porter par la déferlante, la bande de toutes les couleurs, ceux d'En-haut, ceux d'En-bas, enfants des bancs d'école, fils et filles de familles qui mangent à table, ou jeunes en haillons qui grattent leur gale ou tuent leurs poux, filles en crinoline ou filles de rien, jeunesse ambitieuse ou délinquants dépravés, tous, le soir de la Chandeleur, se confondaient et cognaient aux portes en demandant la charité.

C'est monsieur le marié et madame mariée,
C'est monsieur madame mariés...

Raphaël se souvient comment il avait visité le musée de New York, camouflé dans les jupes flottantes des dames patronnesses, et il décide de tenter de

95

nouveau le diable et de se fondre à la foule des coureurs de Chandeleur.

> *Un p'tit moulin sur la rivière,*
> *Un p'tit moulin pour passer l'eau.*
> *Le feu sur la montain.*
> *Boy run, boy run.*

C'est tard dans la nuit qu'il songea à son harmonica au creux de sa poche, entre un mouchoir crotté et une poignée de pelures de pommes. Il le porta à ses lèvres et souffla, mais n'en sortit aucun son. Trop de rouille entre les notes, pas assez de vent dans les poumons. Dommage. Il chercha au fond de son cœur à rejoindre son destin pour lui demander des comptes : s'il avait su jouer de la musique à bouche ce soir-là, en présence d'un peuple en liesse qui était de sa parenté, le cours de sa vie aurait-il changé ?

Quand la foule se dispersa, Raphaël traîna longtemps derrière les derniers fêtards, puis se mit en quête d'une shed, d'un hangar, d'une voiture enfouie sous la neige. Il avait perdu Peigne dans la foulée. Peut-être était-il rentré chez lui ? Avait-il un chez-lui ? L'attardé aurait-il droit à la grange du curé en dépit de ses déboires ? Après tout, le prêtre ne pouvait en vouloir au sourd-muet d'avoir recouvré l'ouïe et la parole. Même pas, le sourd avait toujours entendu et le muet parlé depuis sa prime enfance. Mais parlé tout seul. Et entendu ce qu'il voulait bien entendre. Raphaël était en admiration devant ce phénomène et ne voulait surtout pas perdre la trace de son seul ami. Après Clémentine.

Clémentine, durant ce temps-là, s'inquiétait de son protégé. Elle se doutait qu'il avait dû profiter de la Chandeleur, le petit singe, pour recevoir sa part de crêpes et de poutine râpée. Mais la Chandeleur ne dure qu'un soir, tandis que l'hiver se prolongera quarante jours. La marmotte l'a bel et bien annoncé, pour le malheur du réfugié sans refuge.

— S'y fallait que l'esclave du Bon Djeu… !

Elle sursaute au son de sa propre voix et poursuit en enfonçant sa langue dans sa gorge :

— Ça sera point dit que le Bon Djeu en personne laissera périr de faim et d'engelures un chrétien qu'a point encore de barbe au menton, ça sera point dit. Et si le prêtre… si le prêtre qu'a reçu l'onction de Dieu…

Elle décide d'affronter Dieu et ses oints, ça s'appellerait-y un monseigneur envoyé du pape ! Elle décide le soir même de cogner à la porte sacro-sainte de la chambre emmitonnée, garnie de châssis doubles, d'un poêle à bois et d'un couvre-lit damassé, elle cognera, assiégera, réveillera. Mais rien ne bouge sous le baldaquin, Clémentine n'arrivera pas à sourlinguer le curé fourbu qui, tradition exige, a béni ce jour-là autant de gorges que sa paroisse compte de fidèles.

Et Clémentine rentra dans sa chambre étroite et se mit au lit en songeant aux orphelins, aux démunis, affamés, crasseux, laissés-pour-compte et chiens errants.

En cet hiver de Dépression et de Prohibition dans un pays à peine remis de la grippe espagnole, la marmotte aurait mieux fait de rester dans son trou. Jusques à quand ? Jusques à yoù ? Le sort n'allait donc pas s'épuiser à frapper tout le temps les mêmes, aveuglément et sans répit ? Telle s'entonnait la lamentation populaire des gens qui dormaient pourtant dans leurs nuits et mangeaient au moins un repas par jour, ou presque.

Raphaël l'entendait, écoutait ce refrain qui sautait de butte en butte, puis de toit de bardeaux en toit goudronné. On se languissait après les temps meilleurs et les pays chauds, se figurant être les seules victimes au monde de la mauvaise fortune. Il songeait à son père resté là-bas, à Scapin, Jocrisse et les autres qui s'acharnaient à divertir les écumeurs de pavés, il se remémorait sa longue route vers la terre promise qui... qui, à tout prendre, ne lui avait rien promis du tout et ne pouvait donc pas être tenue responsable.

Raisonne-toi, fils d'archange, t'as choisi. Choisi toi-même de voler de tes propres ailes, sous la poussée de Dieudonné, c'est vrai, mais tu es le digne fils de ce rêveur, te fais pas des accroires, t'aurais jamais consenti à la vie sans décors, sans imprévus et sans aventures, la vie en solde, de seconde main, vie d'occasion, la vie que t'as eu le temps de connaître sus le long pis sus le travers en remontant vers les ancêtres et que tu peux encore refuser de prendre pour femme, à la vie à la mort.

Le poète s'engotte dans son rire qui lui monte de la rate jusqu'au larynx et lui chatouille la luette : la vie, une jeune mariée au pied de l'autel, à la vie à la mort !? Il se roule dans la neige et pleure de rire, rit aux larmes... des larmes hilarantes et désespérées. Cette nuit-là, il s'abandonne à son sort, quels que soient son visage ou ses couleurs, et se laisse glisser dans le creux d'un arbre, à l'abri du vent.

Huit jours, dix jours, il ne compte plus les nuits, Raphaël fouille les sheds et les granges, les appentis qui s'ouvrent sur des caves à patates où, avec de la chance, il déniche parfois des navets, de vrais navets au goût sucré et qui raffermissent les mâchoires. Puis un dimanche que toute la famille est à la grand'messe, il trouve dans la cave des plus proches voisins de l'église un baril d'huîtres. La fête ! Il n'a jamais mangé d'huîtres, mais a vu un ami de son père les avaler toutes rondes, sans mastiquer, puis se lécher les babines en ronronnant comme un chat. Le souvenir le fait saliver. Il en saisit trois dans chaque main, se dit que personne n'a dû les compter, les inspecte, les retourne, veut les ouvrir. Il cherche un clou, un marteau, une égoïne, une pierre… cogne la coquille contre le mur. L'huître est aussi têtue que lui. S'il avait gardé son couteau de poche aussi, mais il l'a troqué dans le Maine contre une miche de pain.

Un couteau de table, Raphaël, y a une trappe au-dessus de ta tête qui doit mener à la cuisine, les trappes de caves mènent tout le temps dans les cuisines ; tout le monde est à la messe, pousse. La trappe est lourde, ça grince, il s'arc-boute des épaules, puis il voit filtrer un jet de lumière, s'encourage et donne un coup. Un bruit de verre qui casse. Il laisse retomber la trappe. Reprend son souffle. Attend. Rien. Personne. Il recommence. Cette fois il réussit à faire basculer la trappe. Des morceaux de lampes en porcelaine gisent sur le plancher de la cuisine. Il les tasse du pied puis examine la pièce. La table est mise, tout est en place pour le déjeuner. Vite, Raphaël, un couteau. Il ne prend pas le temps de fouiller la maison, juste le tiroir à ustensiles, choisit un canif à usage multiple, avec un tire-bouchon en prime, repart en vitesse, marche sur de la vitre qui s'écrase, revient sur ses pas, ramasse les débris de lampe avec un porte-poussière accroché au mur, les verse dans la boîte à bois à côté du poêle, redescend dans la cave et en sort par l'appentis, emportant autant de mollusques que ses mains et ses poches peuvent en contenir.

En retrouvant son abri sous la galerie de la salle paroissiale, il constata avec stupeur qu'il s'était trouvé seul pendant de longues minutes dans une cuisine garnie, avec garde-manger et armoires et remises et réserve de nourriture pour une famille qui devait traverser l'hiver. Et il n'avait songé à s'emparer que d'une poignée d'huîtres et d'un canif ! Tant pis ! Ça y apprendra. Et c'est en s'acharnant sur sa prise, une matinée durant, que Raphaël finit par trouver ou réinventer le truc pour ouvrir les huîtres. Puis ce fut sa récompense. En laissant glisser la chair juteuse et flasque dans son estomac sans la mastiquer ni prendre le temps de la goûter, comme il avait vu faire, il éprouva une telle volupté dans le gosier qu'il se pardonna son étourderie.

C'était son premier vol... en dehors de petits larcins sans conséquence à New York en compagnie de Scapin et du dompteur de lion qui, sous prétexte de parfaire son éducation de clown, lui avaient enseigné comment réussir, sans se faire prendre, à subtiliser un pain chez la boulangère et des saucissons chez le boucher. Mais entrer par effraction dans une maison de gens honnêtes partis à la messe, qui avaient déjà dressé la table du petit-déjeuner, une famille ordinaire comme on en connaît, qui de plus ne lui avait rien fait, qui aurait même pu être la sienne s'il était né en ce pays qui aurait dû être le sien si son père ne s'était pas exilé aux États à la recherche d'une vie facile, si... si...

— Avec des si, on met Paris dans une bouteille ! qu'il grinça entre ses dents en cherchant à tranquilliser sa conscience.

Et puis cette famille, qui aurait pu être la sienne et qui fréquentait l'église du dimanche, pendant qu'il la volait, avait sans doute prié pour lui en demandant à Dieu de donner à manger à ceux qui ont faim et un abri à ceux qui ont froid. En somme, Raphaël pouvait se rassurer qu'il n'avait fait qu'anticiper la bonne action du bon chrétien qui pratiquait les commandements de Dieu et de l'Église.

Ainsi soit-il.

Et le jeune héros, en clignant de l'œil à son saint patron d'archange, se signa des deux mains.

Des semaines plus tard, alors qu'il enfilait la voie ferrée en enjambant les travées :

One for the money,
Two for the show,
Three to get ready,
Four to go!

… il fut surpris par le sifflet du train et son cerveau fit un saut qui le ramena à la Grand Central Station. Ni un ni deux, il dégringola de la voie et roula jusqu'au Bas-de-la-traque. En relevant la tête, il constata qu'il n'y aurait pas eu de quoi s'épeurer devant une locomotive qui avançait au pas de tortue, comme tout ce qui roulait sur des roues dans ce coin de pays qui traitait ses trains comme ses charrettes à bœufs.

Il s'épousseta, n'ayant jamais perdu cette habitude qu'il tenait de Dieudonné, l'ivrogne philosophe, et attendit l'arrivée du train en gare. Il aurait voulu savoir qui en descendait, mais il était tombé du mauvais côté et ne put voir descendre des marches que des pieds chaussés de bottes fourrées ou de bottines à lacets. Puis il aperçut un bas de soutane qui dépassait d'un paletot en peau de chat et reconnut Monseigneur. Il tourna aussitôt du talon et continua sa descente vers le Bas-de-la-traque.

Le Bas-de-la-traque, aussi nommé Happy Town, était un quartier réservé. Si ses habitants avaient eu du sang indien, on eût appelé leur trou perdu une réserve. Mais les gens du Bas-de-la-traque étaient d'authentiques

Acadiens descendants des mêmes déportés que lui, baptisé Joseph Raphaël Ludovic. Leurs cabanes avaient beau se couvrir de papier goudronné et leurs cours et alentours disparaître sous la ferraille, bouts de planches, vitres cassées, roues de brouettes ou de carrosses défoncés, c'étaient leurs domiciles cadastrés. La Happy Town était un lieu désigné qui faisait partie du paysage au même titre que le lac à la Mélasse, le ruisseau des Pottes et la butte du Moulin.

Le temps s'était radouci, Raphaël n'eut pas à sacrifier sa journée au rituel de la recherche d'un abri pour la nuit; et il décida de pousser sa découverte du village jusqu'au district réservé. Et comme si enfin le destin veillait au-dessus de son épaule, il se dirigea tout droit vers la cabane de Don l'Orignal. Il cogna. Sans réfléchir ni se chercher un prétexte du genre «je passais par hasard» ou «je cherche quelqu'un», il attendit. Rien. Cogna de nouveau, un peu plus fort. Il entendit bouger puis gueuler:

— Quoi c'est que t'espères pour rentrer?

Il entra.

Il s'attendait à tout. Et c'est exactement ce qui lui tomba dessus: tout.

L'autre monde, l'envers du village, ce qui restait après les sept premiers au huitième jour de la Création.

Il s'excusa:

— Je veux surtout pas vous déranger...

Comme s'il pouvait déranger. Il n'était ni de la police, ni du gouvernement, pas un prêtre non plus, même pas un inspecteur d'école.

— Hale une bûche.

Ses yeux firent le tour.

Une voix de femme filtra à travers un rideau qui cachait l'autre moitié de la cabane.

— Prends la chaise.

L'intrus s'était assis finalement sur une bûche, laissant libre la seule chaise qui attendrait sans doute une personnalité plus imposante que la sienne. Pourtant, c'était la première fois depuis son entrée dans le village natal de son père, deux ou trois millénaires plus tôt, que Raphaël se sentait important. Pas au-dessus, pas d'un rang supérieur, rien qu'important. Il essayait de définir le mot, de s'expliquer cette sensation soudaine de se retrouver à sa place, d'ajuster son corps à son âme, son âme à son être, son être à sa raison d'être, à son destin.

… Arrête-moi, Dieudonné !

Il pose ses mains sur ses genoux, se dérouille la gorge comme quelqu'un qui se dérhume :

— J'ai vu de la boucane dans la cheminée et…

— Es-tu venu pour rester ?

Don l'Orignal ne le regarde pas, mais le détaille de la tête aux pieds.

— Je fais juste passer.

— T'es là depuis un bon boute. C'est l'Elzéar qui t'a mis à porte ?

Raphaël commence à lire entre les lignes du discours de l'autre… qui parle de sa vie au pays depuis l'automne, comme si ces gens du Bas-de-la-traque l'avaient accompagné dans ses déambulations à travers la neige, les nuits froides, la faim, la solitude, avaient suivi ses déboires sans dire un mot, sans s'apercevoir qu'il était un surnuméraire, une bouche de plus à nourrir.

Au fur et à mesure de leur conversation, Raphaël se rendit compte que des voix nouvelles s'étaient ajoutées à celle du maître de la maison, sans doute de la tribu, des voix de femmes, de jeunes gens, des piaillements d'enfants, toute une volée de monde qui s'était infiltrée dans la pièce unique et si exiguë qu'on s'entassait les uns sur les autres sans formalité.

Puis le son s'amplifia dans un bourdonnement de ruche. Raphaël n'avait encore jamais éprouvé pareille sensation, l'impression de pénétrer sous terre, ou de s'enfoncer au cœur de la forêt sauvage. Une peuplade de primates ou primitifs ou premiers hommes qui n'ont d'autre tâche et ambition que de

dormir, manger et boire,
manger, boire et dormir,
boire, dormir et manger.

Un choc et la porte s'ouvre, sans prendre le temps de grincer sur ses gonds. Et l'apparition remplit l'embrasure comme dans un tableau, tels ces portraits que Raphaël a pu contempler dans la galerie des rois au musée métropolitain. Quand le survenant finit par passer la porte et se joindre à la compagnie, Raphaël constate que le roi a davantage l'allure d'un valet, et que le colosse n'est démesuré qu'encadré dans une porte plus basse que lui, rien de plus. Puis il se souvient de l'avoir distingué dans la troupe des coureurs d'escaouette le soir de la Chandeleur.

— Boy à Polyte?
— V'là ton homme.

Version acadienne du français officiel «À votre service».

Raphaël ne fait pas le bec fin ni le délicat, et calouettant de l'œil gauche dans la direction du nouveau venu, il empoche et la formule et l'homme dans sa mémoire sélective autant qu'infaillible.

Quand il quitta la cabane enfumée de Don l'Orignal, tard dans la nuit, il tricolait des deux pattes comme un vieux soûlard, lui qui n'avait de sa vie bu autre chose que du lait en bouteille, jus de fruits pressés, eau du robinet, eau recyclée des bas-fonds de New York, eau de source, eau de ruisseau, eau d'étang dégelée à la hache. Il avait tout juste réussi en cachette à tremper les lèvres dans le rye de son père, jadis, et l'avait aussitôt recraché comme s'il avait avalé de l'eau de lessive. Mais en ce soir d'hiver, au mitan d'un cercle de joyeux compagnons que Boy à Polyte avait ragaillardis avec ses histoires salaces et sa réserve de *moonshine* maison, il s'était soûlé.

Perdu la raison, mais point la mémoire de cette veillée en pays rabelaisien. D'instinct, il avait reconnu dans la tribu des crasseux du Bas-de-la-traque d'authentiques descendants de ses plus lointains ancêtres. Sans pouvoir les identifier, sans connaître l'histoire de cette France médiévale, il se souvenait des contes de son père qui faisait revivre la dynastie des géants buvant dru et mangeant salé, se mouchant à leurs manches et dormant sans se donner la peine d'enlever leurs chausses.

Le reste, Raphaël le réinventa.

Ou crut le réinventer.

Mais un matin, après une nuit à peu près au chaud dans la grange du presbytère qu'il avait réintégrée clandestinement et au péril de sa vie, il se réveilla d'un rêve éblouissant. Il vérifia sa mémoire, compara le songe à ses souvenirs, puis comprit.

Les *Morceaux choisis* !

Depuis son départ de la Nouvelle-Écosse, il n'y avait plus remis les yeux, se demandait même si le texte était resté lisible après son lessivage en eau salée. Mais voilà que les images de Pantagruel et Panurge s'étaient mises à cabrioler au plus creux de sa nuit dans les petits trous de son cerveau, réveillant les Gargantua, Grandgousier, Picrochole et autres hardis bourlingueurs. Il s'en fut sitôt vérifier dans son livre de chevet, son unique livre, rescapé des eaux, sauvé à bout de bras des cambrioleurs et brigands contrebandiers et même de la convoitise de l'inspecteur d'école de la baie Sainte-Marie, et y dénicha effectivement les héros de son rêve prémonitoire. Ce peuple d'En-bas, les réchappés de l'exil, puis de la dispersion, enfin du rejet collectif de leurs congénères, semblaient s'en tirer mieux que ceux du Haut-de-la-traque, n'ayant rien d'autre à perdre que leur vie. Et celle-ci, ils comptaient bien lui faire traverser joyeusement la Crise qui affectait davantage ceux qui ont de quoi à perdre.

Le retour de Raphaël à ses *Morceaux choisis* lui donna un sursaut d'énergie. Même un renouveau de confiance en son étoile, presque une réconciliation avec son destin. Il reprit contact avec Ludovic et se remit à parler tout haut.

— Salut, Panurge, mon ami.

… …

— Tu réponds pas? Tu veux être Pantagruel, c'est ça?

… C'est moi l'aîné, tu l'as assez dit.

— J'ai dit ça, ben, depuis que j'ai trouvé mes papiers de naissance, j'ai appris qu'on était bessons…

… Pas bessons, bien plus proches que ça.

Raphaël n'osa pas répondre, de peur de tuer dans l'œuf l'un ou l'autre des protagonistes. Il préféra faire diversion.

— Tu te souviens de l'air du reel du pendu?

… Joue-le et je m'en souviendrai.

— Tu te crois rusé, mais c'est moi le vrai renard des deux.

… Un vrai renard saurait, lui, comment nettoyer les notes de sa musique à bouche.

— Ah ouais? … et comment?

… As-tu pas réussi à ouvrir une huître?

Le canif! Il se souvient. Avec un tire-bouchon intégré.

Raphaël passa la journée du lendemain à gratter la rouille de son harmonica.

Il en sifflait d'expectative. Au point de négliger la plus élémentaire prudence. Il sifflait des *Maluron, malurette, Auprès de ma blonde*, les trente-six versions d'*À la claire fontaine* qu'il se mit à turluter à s'en déformer le bec, quand il fut surpris par l'entrée en trombe de Clémentine. Il avait oublié l'interdit de séjour et comprit, sans que la servante eût à dire un mot : c'est elle qui aurait à payer. Il ramassa son sac, y enfouit dans le désordre son harmonica, ses chaussettes, sa casquette, son canif, ses caleçons, son rasoir, un pain de savon usé à l'os et...

— Qu'est-ce que c'est que ça ?

Il reste sans voix. Pas à cause du bouquin, un livre pas même à l'Index, à cause du ton courroucé de sa plus sûre amie. Il étale les *Morceaux choisis* grand ouverts sous ses yeux :

— Le livre que mon père m'a baillé en héritage.

Au tour de Clémentine de perdre la parole. Un livre. Le fugitif privé de tout, de pain, de pays, de paillasse, de père et mère, de refuge où passer la nuit, voilà qu'il traînait dans son pack-sac un vieux livre écorné !

Elle se décrispe, laisse tomber le menton, tend la main, mais Raphaël s'accroche, serre contre sa poitrine ses *Morceaux choisis*.

— Tout ce que j'ai appris dans ma longue vie est là-dedans, qu'il fait sans bigler ni plisser les yeux. Le restant, je l'ai reçu de la bouche de mon père. C'est ma bible à moi, y a pas un curé qui pourra m'arracher ça.

Clémentine a capté surtout le « dans ma longue vie » et laisse ses lèvres s'écarter sur un sourire qu'elle n'a pas eu le temps de retenir. Raphaël respire. Le pire est passé. Il se lève lentement, fait semblant de farfouiller dans son sac, se surprend à tasser et gonfler la paille où il a dormi comme il avait appris jadis à faire son lit, sans perdre des yeux les mains de Clémentine qui cherchent à se poser quelque part...

C'est à ce moment-là, quand tout était encore possible, à l'instant où le cœur de la femme et l'esprit du jeune homme étaient sur le point de trouver leur jonction, que le tonnerre tomba sur l'imposante grange du presbytère.

— AH-HA !

Monseigneur. Du haut de ses six pieds trois pouces, de la largeur de ses épaules de Louis Cyr, il a posé ses gants sur ses hanches et attendu. Attendu quoi ? que sa servante se jette à genoux ? que l'enfant trouvé lui lèche ses bottes de cuir ? Mais l'enfant et la servante restent de marbre. De peur ou de rébellion, peu importe, c'est le silence. Qui dure, dure le temps de rendre tout le monde nerveux. À s'y méprendre, on pourrait se croire devant un tableau de l'histoire de la Rome ancienne où les jeux ne sont pas encore faits, les dés pas encore jetés, la page pas encore écrite. C'est Raphaël qui eut cette vision qui à son insu le fit presque sourire. Le curé a senti ses gants de chevreau presser sur ses hanches et sa barrette glisser derrière sa tête. Il la redresse et reprend son aplomb. Mais il a perdu du temps, le ballon s'est dégonflé. Clémentine se dérhume, Raphaël pique des yeux par le carreau de la lucarne et, sans jeter un œil du côté de Monseigneur, il salue Clémentine en enlevant sa casquette et s'enfuit.

Le héros savait qu'il venait de couper les ponts. Que février réservait au pays des nuits sans pitié et qu'il devrait se trouver une grange ou une shed de rechange. Mais il ne pouvait retenir son bonheur, diffus par tout son corps, du cerveau jusqu'à... jusqu'aux couilles qui en pleuraient de joie. Il avait résisté, qu'importe le prix à payer, il était sorti d'un combat contre le géant, d'âme à âme, sans perdre l'honneur.

Durant ce temps, les deux autres protagonistes étaient restés plantés dans l'aire de la grange, abasourdis par la disparition du jeune délinquant qui leur avait glissé entre les pattes. Et pour la première fois depuis qu'elle était au service de Monseigneur, Clémentine prit les devants.

Elle n'avait de sa vie manqué à ses devoirs envers l'Église et ses représentants, avait connu trois curés, servi des douzaines de prêtres des paroisses voisines qui venaient en renfort chaque premier vendredi du mois prêter main-forte à Monseigneur pour entendre les confessions de la plus grosse paroisse du comté, changé des draps et taies d'oreillers, préparé puis réchauffé des plats, fourbi les planchers jusqu'à gratter les têtes de clous, et toujours elle avait retenu sa langue. Personne jamais n'aurait pu trouver à redire sur ses services et son maintien.

Elle s'essuya le front du coin de son tablier, puis allait poursuivre, mais Monseigneur avait eu le temps de se ramasser durant sa longue diatribe, et il décida que son tour était venu de prendre sa propre défense. Le mot le fit suffoquer. Lui? Se défendre? Dans un procès contre sa servante? Il en pâlit et s'appuya contre une herse qui plia et se rompit. Le prêtre perdit l'équilibre et c'est la servante qui l'aida à se redresser.

— C'est ben, c'est ben, qu'elle dit, les matinées sont fraîches, faut rentrer.

Il sortit le premier. Mais rendu au presbytère, il la somma de le suivre à son bureau, il leur fallait vider le débat qui les opposait depuis des mois et qui empoisonnait leur vie. Clémentine encore une fois plia les épaules, pour la forme, mais garda la tête haute.

Raphaël était surpris de la disparition de Peigne. Depuis que le sourd-muet s'était mis à parler, il semblait avoir pris son envol vers quelque terre inconnue, s'était évaporé dans la nature, en plein hiver, cette disparition avait quelque chose d'inquiétant. Et Raphaël se mit à s'informer à droite et à gauche :

… Vous auriez pas aperçu Peigne dans les environs ? Quelqu'un aurait vu le sourd-muet errer par les buttes ou le long de la côte ?

Mais on répondait que Peigne était un débrouillard à tout casser, que personne n'aurait su comme lui se tirer d'une trappe ou d'un piège, ou même remonter du fond d'un chenal de cinquante pieds d'eau sans perdre une once de souffle.

— Peigne est un poisson, une fouine et un chat-cervier. Fais-toi-z'en pas pour lui, il resurgira au printemps, avec la marmotte pis les outardes.

Raphaël envia Peigne d'être si bien appareillé, d'avoir pu survivre aux intempéries et aux privations, hiver après hiver, comme un homme des cavernes. L'homme de Cro-Magnon, qu'il s'entendit penser. Là au moins l'enfant unique avait de l'avance sur le treizième d'une famille de douze : le fils de Dieudonné pouvait appeler par son nom le descendant direct d'Adam et Ève, l'homme de Cro-Magnon. Mais il eût donné, ce jour-là, la moitié de ses souvenirs inutiles contre le quart d'une cuisse de dinde.

Il se rappela son aventure de voleur de poules qui lui avait ouvert les portes de la prison, dans sa lointaine vie passée, et voulut oublier les cuisses de volaille. Toutes les volailles ici sont domestiques, les autres ailés sont sauvages et non comestibles. Même Peigne ne mangerait pas de l'outarde ou du pigeon. Quoique du pigeon, ou du lapin… Du lapin ? Comment attraper un lapin ? dans la neige en plein hiver ?

… Ben voyons, c'est l'hiver qu'on les piège.

Il se souvient :

— Les collets à lapin !

Ça lui prit toute une nuit pour trouver et le jour suivant pour fabriquer son premier piège à lapin des bois, autrement dit le lièvre. Il dénicha facilement des bouts de ficelle dans un hangar à poisson, plus difficilement des feuilles mortes en guise d'appât et réinventa le reste : le complexe nœud coulant bien camouflé sous la neige au pied d'un conifère. Puis il attendit.

Il revenait chaque soir et chaque matin vérifier son collet, jour après jour, des jours de plus en plus longs. Les jours allongent en mars... En mars ? On était déjà rendu en mars ? Raphaël sentit un frisson d'espoir : il réussirait à traverser son premier hiver. Au printemps, avec le retour des outardes, la Crise tirerait à sa fin, peut-être bien, elle ne pouvait durer toujours, la garce, les gens retrouveraient alors leur entrain de la belle époque, la vie quotidienne, le travail régulier, l'argent qui rentre, les trois repas chauds, le sommeil du juste. Il sourit secrètement à sa propre candeur. Le sommeil du juste ! Il avait lu ça quelque part. Dans les *Morceaux choisis*? Il lui fallait retrouver dans le livre de quoi le soulager de sa misère, lui rendre espoir, un quelque chose d'intangible pour remplacer le lapin.

Mais il est là !

Il l'aperçut de loin qui battait des pattes, le cou coincé dans le collet.

Il s'approcha lentement de peur de le surprendre, il n'avait pas le courage de lui faire face. Un tout jeune lapin, ç'allait de soi, un vieil expérimenté ne se serait pas laissé avoir par un amateur. Le chasseur eût préféré un vieux, cependant, une bête en fin de vie, pas le jeune fringant qui n'arrêtait pas de gigoter et de supplier des yeux son sauveur de le sortir de là.

— J'suis pas venu te libérer, espèce de tête de linotte, je suis là pour... je suis le chasseur, tu comprends?

Non, l'autre ne comprenait pas, n'avait pas du tout l'intention de se laisser manger par moins affamé que lui, il lui montrait les dents, abaissait les oreilles comme un chien prêt à mordre et ne quittait pas Raphaël des yeux.

Et le combat s'engagea entre le lièvre et le renard. Qui serait le plus fin, ou le plus adroit? Le renard commença par lui caresser la fourrure, cherchant à l'amadouer... Tu sentiras rien, fie-toi à moi, je te plongerai pas dans la casserole, j'ai même pas une poêlonne, faudra t'embrocher, mais ça se fera sans douleur, je te promets, un petit coup sec sur... même pas, j'ai une façon d'endormir le monde, j'ai appris en masse de trucs au cirque, tu me fixeras les yeux et lentement... Mais le lièvre, sans passer par le cirque, avait appris dans la nature des tas de trucs pour sauver sa vie. Et au moment où il sentit le nœud se desserrer autour de son cou, il sortit la tête et glissa des mains du chasseur, Gros-Jean comme devant!

Raphaël entendit rire Ludovic et se rebiffa:
— Tu crois que t'aurais fait mieux, empoté?

Et il se remit à la chasse aux restes de table dans les sheds et cours arrière des maisons.

— Quand c'est que les outardes vont revenir, on est-y pas rendu en mars? qu'il demanda nonchalamment à un vieux qui sciait du bois derrière son hangar.

Il s'était efforcé d'enfoncer sa voix au plus creux de la gorge pour se vieillir et se donner de l'aplomb. Mais le vieil homme, qui avait vu grandir dans son logis une demi-douzaine de garçons et le double de filles, n'était pas du genre à se laisser tromper par les simulacres d'un néasse avec un mince duvet sous le nez.

— Les outardes? qu'il fit. Je plains les premiéres qui risqueriont de pointer le bec par icitte avant la fin du mois. Le grand V dans le ciel pourrait se changer en double W.

Raphaël s'amusa de la répartie et de l'image du V des oies sauvages décuplé en multiples WWWW. Puis intrigué :

— Quoi c'est que ç'annonce?

— La tempête du siècle.

Quoi? pas encore une? Mais quel diable se moquait du fils de Dieudonné? On n'allait pas lui accorder le moindre répit?

— C'est pas vrai! qu'il fit, estomaqué.

Le vieil homme déposa son égoïne, prit sa hache et se mit à fendre ses bûches.

— As-tu où te loger la nuit qui vient, flanc mou?

Raphaël se rappela le « flanc mou » entendu en route au moment où il approchait de la terre promise. C'était ça, le pays où coulent le lait et le miel!? Des bourrasques de neige qui font déferler les roulis les uns sur les autres, engloutissant les maisons et cadenassant tout un peuple dans un silence angoissé? Il quitta le vieil homme sans répondre à son invitation, hanté par un mauvais pressentiment qui commençait à le tirailler.

Et si son patron n'était pas un archange et son destin point dessiné dans le ciel envoûté sous l'arc-en-ciel du soir? Si son retour n'avait pas été le dessein d'un dieu bienfaisant, mais la chimère d'un rêveur soûl qui projetait sur son fils ses ambitions avortées?

Raphaël n'eut pas l'énergie de soulever sa casquette pour s'arracher les cheveux. Il se contenta de ravaler sa morve et de prendre la résolution de ne plus se fier à personne, plus écouter les promesses, plus croire en la parole de qui que ce soit, père, frère, mère… Mère? L'image de sa mère restait intacte, celle-là ne lui avait rien promis, s'était contentée de le mettre au monde, puis advienne que pourra. Il était advenu ce que vous voyez, un enfant perdu, fils errant, garnement de rien, pas digne de dormir dans l'aire de grange du presbytère!

Il marchait au centre de la grand'rue qui traversait le village, enfonçant les bottines dans la neige qui lui arrivait aux genoux, indifférent aux rares rencontres des quelques courageux qui osaient affronter la tempête déchaînée, le vieil avisé avait vu juste. Gelé jusqu'à la moelle des os, Raphaël marchait la tête enfoncée dans le cou, sans regarder devant lui, et vint se cogner contre un paletot de chat sauvage:

— At-ten-tion!

Il reconnut la voix de Monseigneur qui, lui, ne reconnut pas l'ombre qui avait failli lui foncer dedans.

— Rentre vite à la maison, la tempête s'annonce forte. C'est pas une nuit pour dormir dehors, qu'il poursuivit, réellement soucieux du salut de ses paroissiens.

Raphaël s'entendit ricaner, mais ne se dévoila pas, malgré sa prime envie de hucher au prélat que ses paroles dégobillaient de la bouillie pour les chats. Il serra les poings au fond des mitaines que lui avait filées en cachette Clémentine, puis s'écarta pour laisser passer le curé.

Il devait apprendre bien plus tard que ce soir-là Monseigneur s'était rendu directement chez Don l'Orignal pour le prévenir du danger d'une tempête qui s'annonçait longue et rude. C'est Boy à Polyte qui raconta:

… Le prêtre s'est amené au pus creux du mauvais temps pis a dit à l'Orignal de point faire le fanfaron

114

ni tenter le diable, que la neige pouvit timber durant des jours, qu'y fallit se rendre au pus vite au bois pis se dépêcher à se ragorner des branches mortes et des écopeaux, si y voulit point voir tout sa maisonnée péri' sous ses yeux. Mais l'Orignal était pas accoutumé à se faire dire quoi faire par parsoune. J'allons point péri', qu'y fit, j'ons vu des bourrasques avant asteur. El Monseigneur a eu beau se renfrogner, pis hausser le ton, pis menacer tout le monde d'avartissements, parsoune grouillait dans la cabane pis laissait le chef affronter le prêtre pis la tempête sans broncher ni reculer d'un pouce. À la fin, le curé s'en fut. En grognant coume un verrat, apparence.

Trois jours plus tard, pus rien qui grouillait dans la cabane, et le prêtre a renchargé le bedeau d'aller au Bas-de-la-traque prendre des nouvelles. Va compter les morts, qu'il a dit. Et le bedeau Ovila s'en fut, pis a rapporté au curé :

— Ils sont tout' ben en vie, mon révérend, ben y reste pus dans la cabane un seul sommier de lit, ni patte de chaise, ni patte de table, ni barreau d'échelle pour grimper au grenier.

Voilà l'histoire telle que l'a rapportée Boy à Polyte… qu'a jamais menti.

Durant ce temps-là, les trois jours et trois nuits d'une tempête égarée et saugrenue qui semblait braver la coutume, se moquer du calendrier et même finir par chavirer les bêtes de somme dans les étables, Raphaël éprouva pour la première fois la sensation physique qu'il était de trop, que le Créateur ne l'avait pas remarqué, mais laissé passer sans le voir dans les treillons du tamis au dernier jour de la Création. Comment le prétentieux avait il pu croire à son destin de fils d'archange, de prédestiné chargé de mission ! Lui qui n'avait pas réussi à traverser son premier hiver !

Trois nuits à veiller sa propre mort, croupi dans le siège arrière d'une voiture de bootleggers. À la fin, il ne sentait plus sa crampe à la panse, ni le lancinement dans l'échine qui l'avait poussé à s'enrouler sur lui-même comme un chat, il n'éprouvait plus aucune sensation, aucune douleur. Autant de gagné. C'était ça, crever ? Se laisser aller, tomber, dévaler le long de la pente douce, infiniment jusqu'à l'infini. Infini-tivement… infinitissimalement. Il articulait, s'efforçait de prononcer, d'allonger les mots, simplement pour savourer jusqu'au bout ces billes aux saveurs et couleurs multiples qu'il faisait rouler dans sa bouche et glisser jusqu'à sa gorge. Des mots de gorge. C'était écrit dans ses *Morceaux choisis*, il s'en souvient.

Much have I traveled in the realms of gold…

Heureux qui comme Ulysse a fait un beau voyage…

Ah ! que la neige a neigé…

Il caressa le livre puis voulut l'envelopper avec son harmonica dans un vieux caleçon… non, c'était indigne, dans le mackinaw, cadeau de Marguerite à Yutte.

Elle ne saura jamais, Marguerite à Yutte, que tu ne t'es pas rendu jusqu'au bout, renégat. Y aura personne pour la renseigner, de toute façon cette page de ton histoire passera comme du beurre dans la poêle, brunie par le temps qui emporte tout. Tu te figurais quoi au juste ? Qu'est-ce que tu espérais de la vie de plusse que le sort de tout le monde qui vient au monde pour mourir à la fin de sa vie ? Qu'est-ce que te donneraient cent jours, mille jours de plusse, hein? Une autre butte à grimper? une autre mer à traverser? Mille nuits de cauchemars à frotter ta panse vide?

— Braille pas, surtout. Personne te pousse à te tuer.

Il se retourne sur sa couche de ressorts qui lui réaniment les reins et sa crampe le reprend. Il veut continuer à se parler pour se convaincre, convaincre le monde et Dieu et son père, mais ses lèvres gercées restent closes. Trop d'efforts inutiles. Laisse parler ta tête, ta mémoire est encore pleine, a jamais été si vive, comme si ta vie avait brisé ses pentures et largué sa porte à tous les vents. Elle est grand ouverte devant toi. Non, derrière toi. Une bonne vie, quand même, de quoi-ce tu te plains? ... Qui-ce qui se plaint?... Je regarde, c'est toute. Revois une longue enfance qui finit pas, que j'avais aucun goût de lâcher, même si la vie d'en avant me tentait et m'appelait et me garantissait mes meilleurs jours. J'y ai cru, dur comme fer. Et Dieudonné me poussait dans le dos, sans pouvoir s'empêcher pourtant de m'amarrer à lui, comme si sa propre vie n'avait plus de sens en dehors de moi. Son rêve de grandeur, qu'il m'a fait porter.

Le v'là, son rêve ampoulé, recroquevillé au fond d'une Ford enterrée sous la neige jusqu'au top. Un beau gâchis.

... Gâchis! Quoi-ce tu dis là?

— Ludovic!

Fallait qu'il vienne, çuy-là, à l'heure qu'on n'a plus besoin de lui. Plus besoin de personne. Si y a une chose qu'on fait tout seul, c'est mourir.

... Pis pisser.

— Ouche!... Hi, hi... arrête, Ludovic, c'est pus le temps. Quitte-moi partir en paix.

... *Requiescat in pace.* T'auras pas eu le temps d'avoir d'autres lettres après ton nom: R.I.P.

— La paix !

Raphaël se redresse et se glisse hors de la voiture.

Le curé a demandé à son bedeau s'il avait aperçu le traîneux de granges ces derniers jours. Mais le bedeau ne l'a vu nulle part.

— Va donc faire un tour et informe-toi.

Ovila a l'œil torve et le cœur mauvais. Raphaël a pris trop de place dans les conversations du presbytère depuis un certain temps. Il ne comprend pas Monseigneur d'accorder une telle importance à un sans-abri comme Raphaël, sans père ni mère, ni attaches au pays.

— Il a dû quitter le coin.

— As-tu été t'informer chez son oncle Elzéar ?

— Sus l'officier ? Ça fait belle heurette que le garnement y a point mis les pieds.

— Vas-y faire un tour.

Un bedeau ne résiste pas à un prêtre monseigneurisé.

— Et en passant, dis donc à la servante que je veux la voir.

Monseigneur avait convoqué Clémentine en dernier ressort. Car il était convenu entre les deux que le chapitre Raphaël était clos. Clos pour lui, même s'il se doutait bien que du côté de la servante... Ce n'est pas pour rien qu'elle épluchait chaque hangar, shed et grange des environs. S'il restait le plus mince espoir de ce côté-là, la vieille fille ne laisserait pas crever de froid un enfant trouvé, ça s'adonne.

Le curé, qui commençait à se ronger les sangs, invita Clémentine à s'asseoir. C'était nouveau. D'accoutume... mais plus rien n'était complètement comme avant la tempête. Monseigneur avait un pli de plus dans le front, et un tic du côté de la narine gauche.

— Asseyez-vous.

Il prit un long détour pour en arriver à Raphaël. Détour inutile, la servante avait compris. On racontait l'histoire de la cabane de Don l'Orignal qui avait passé proche de passer au feu; puis celle de l'homme de Memramcook trouvé gelé dans le marais à cent pieds de sa maison; enfin on faisait circuler la légende du pêcheur du Fond de la Baie qui avait aperçu au large le vaisseau du mauvais temps à la dérive entre les glaces.

Le prêtre s'insurgea contre ces croyances païennes. Le vaisseau fantôme! Mais Clémentine savait qu'il avait un autre poids sur le cœur. Et elle prit les devants:

— Je sais ben pas où c'est qu'a abouti le pauvre orphelin ces derniéres nuits.

Il leva la tête, aspira profondément:

— Il a de la famille au pays, jamais je croirai qu'il s'obstine à refuser d'aller cogner à la bonne porte. Ce genre d'entêtement porte le nom d'orgueil et peut perdre n'importe qui.

Phrase trop longue. La servante devina qu'il cherchait le mot juste, juste le mot, le mot qui tue ou qui sauve, mais qui en ce moment le libérerait, lui qui avait charge d'âmes.

— Voulez-vous dire que l'enfant abandonné serait en perdition? qu'elle fit en regardant ailleurs.

Il se leva, invita d'un geste Clémentine à en faire autant et:

— Allez, faites le tour des cabanes et des hangars et ramenez-le.

Elle ne lui avoua pas que c'était déjà fait, mais lui fut reconnaissante de sa bonne foi et le remercia.

Raphaël enroule dans un gilet de rechange son livre et son harmonica et enfouit le paquet sous son bras. Il se redresse et se dirige tout droit vers le parvis de l'église.

119

— R.I.P., qu'il dit à la blague, en déposant son trésor dans un coin obscur du portique.

Puis, dans un sanglot qu'il ne réussit pas à avaler, il s'engotte et crache son motton dans la neige immaculée. Quant à faire, le faire en beauté, qu'il soupire. Plus rien à perdre. Et il s'approcha du presbytère.

De la lumière dans le bureau, mais pas dans la chambre de Clémentine, ni dans celle du curé, à peine un filet dans le grand salon et le noir absolu dans la salle à manger. À cette heure de la nuit, seule la porte de la remise n'est pas fermée à clef. Il la pousse doucement, elle grince sur ses gonds dans un geint à peine audible, il se glisse dans l'entrebâillement. Personne dans la cuisine, ni dans le hall, ni dans la salle à manger. Le buffet d'acajou se trouve à droite de l'horloge grand-père, une horloge vieille de cent ans, c'est Clémentine qui l'a dit : elle sonne les heures et les demies, et ç'aurait été un cadeau de... il ne sait pas, Clémentine ne l'a pas dit clairement, peut-être du riche protestant né dans le village. À droite de l'horloge grand-père, il tâtonne dans le noir, ses mains reconnaissent le vase de porcelaine qui contient des parapluies et une canne ouvragée de figures comme Raphaël en a vu dans le lobby de l'hôtel Astoria. Il glisse ses doigts sur la canne, les enroule sur le pommeau d'or, sursaute ! Ding-dong, ding-dong... dong-ding, dong-ding... La demie de l'heure. Il reste calé entre l'horloge et le buffet et attend que l'écho s'éteigne dans le hall et le grand salon. Le silence revient. Rien n'a bougé. Pas même l'intrus qui est resté figé sur les dernières notes du dong qui a rebondi au fond de son âme.

... Qu'est-ce tu fais là ? qu'est-ce tu cherches ?

— Chut ! ça te regarde pas.

... Rendu où t'en es, t'as plus besoin d'argent.

— Je cherche pas de l'argent. J'suis point un voleur de nuit.

... Y fera bétôt jour, dépêche-toi. Ce que t'as à faire, fais-le vite.

— C'te phrase-là vient de la Bible, pas des *Morceaux choisis*. Et pis mêle-toi de tes affaires. J'suis grand assez pour me débrouiller tout seul.

... Grand assez, t'as raison. Tu sais ce que t'as à faire.

Murmures du côté du bureau, faibles sons de voix. Raphaël se fige puis allonge la main comme s'il cherchait à rattraper celle de Ludovic. Silence. Un temps. Rien. Il s'approche du buffet, tâte. Un chandelier. Un paquet d'allumettes. Il allume une chandelle. La salle s'illumine et il se hâte de souffler. Il a quand même eu le temps de voir à l'intérieur du vaisselier vitré.

... Ah! c'est ça que t'es venu chercher.

— Pour une fois, Ludovic, j'aimerais décider tout seul de ma propre vie.

... T'appelles ça ta vie?

Raphaël va répondre, mais se tait. Il contemple les bouteilles, les flasques, les carafons. Et l'eau lui vient à la bouche.

Combien de temps plus tard... une éternité, demi-éternité, éternité et demie? Il s'enroule les bras à lui faire le tour de la poitrine, lève la tête qui craque sur son cou... non, c'est le cou qui craque au-dessus du râteau de l'échine, ses yeux montent jusqu'au sommet du pont.

Sapristi que c'est haut! j'ai le vertige avant d'être rendu au faîte. Maudit estomac! Te fallait aussi aller te soûler la gueule, Raphaël, avant d'entreprendre... avant de risquer la plus grande entreprise de ta vie, la dernière, la seule qui compte parce que celle-là va achever toutes les autres! Eh oui, y a rien qu'une chose qui vaut vraiment la peine qu'on en parle dans une vie comme la mienne, une vie d'archange tombé du ciel, c'est sa fin. Sa mort. Tant qu'à ça, personne en parlera longtemps, une semaine ou deux, un jour ou deux. Après l'enterrement, la vie des autres reprend vie… je veux dire reprend son cours. Et pis de toute façon, toi t'auras pas d'enterrement, tu vas disparaître sous l'eau. Pas de fleurs ni de chandelles, pas de funérailles, pas d'R.I.P. sur une croix. Les morues pis les maquereaux seront les seuls à t'accompagner pis à raconter ta dernière heure. Et ceux-là sont pas très jasants, demande-le aux pêcheux. Et pis après, Raphaël, qu'est-ce que ça peut te faire qu'on parle de toi ou pas, si t'es mort?

Le mot le fait frissonner. Il remonte son col.

Grimpe, mon gars, pense à rien d'autre qu'à te rendre au faîte du pont. Parce que tant qu'à faire le saut, fais-le d'assez haut pour pas manquer ton coup et risquer de te laisser ramasser dans une heure, l'échine cassée mais encore en vie. Un gars est mieux mort que plié en deux pour le restant de ses jours.

La vue du dernier hauban du pont, tout en haut, lui donne la nausée.

Le cœur me lève. J'aurais pas dû mêler le whiskey avec de l'eau, le rhum avec de l'eau, la liqueur de menthe avec de l'eau… c'est l'eau, hé, hé. La prochaine fois, Ludovic, avertis-moi de le prendre *straight*, ou bedon *on the rocks*, ou bedon… Quelle prochaine fois? Tu déparles, Raphaël. Y aura plus de prochaine fois pour un homme qui se prépare à plonger du haut du pont. Plus rien après la dernière travée, le dernier respir. Plus rien. Pas même l'estomac qui te remonte à la gorge toutes les cinq minutes pour te rappeler ton père qui t'avertissait à chacune de ses brosses, qui te disait de jamais mêler le whiskey avec de l'eau, le rhum avec de l'eau… c'est l'eau… hi, hi!

Il prend son souffle, mesure la hauteur du pont, met le pied sur le premier barreau de fer, s'agrippe des deux mains sur la barre d'au-dessus pour se donner un élan et...

Monte, mon gars, c'est rien que le premier pas qu'est malaisé; après, tu verras que ça grimpe tout seul, barreau par barreau, jusqu'au faîte, jusqu'au ciel, parmi les anges... les archanges... Arrête! Fie-toi pas aux archanges qu'ont pas réussi à te sauver la vie ici-bas. Même pas c'ti-là qui porte ton nom... Es-tu là, l'archange Raphaël?... Non, hein? T'existes pas, toi non plus. Pas plus que les autres, les saints pis les agneaux de Dieu.

Ma mère?

Si fait, celle-là existe, faut ben qu'elle ait existé pour me mettre au monde. Ben à quoi ç'a servi? Pourquoi tu m'as donné la vie si c'était pour me l'arracher à quinze ans?

Maman!... t'es là? tu m'entends? Réponds-moi! Dis-moi au moins que... ah! pis dis rien entoute. L'éternité a rien à dire. Et peut se passer de moi. Comme la vie qui continuera son chemin sans l'écervelé qui se prenait pour un prédestiné. Un gars de trop, c'est un gars de trop, et ça dérange personne qu'il s'en aille plus tôt ou plus tard... Personne se souviendra de toi... à part ton père Dieudonné, mais il est peut-être déjà parti lui itou. Et Scapin, Jocrisse et les autres... je saurai jamais si le cirque un jour sortira de la Crise... Pourvu que Marguerite à Yutte et Jos Sullivan apprennent jamais comment j'ai fini ma vie... Surtout pas Clémentine... ni Peigne...

Il s'arrête de grimper pour se souffler dans les mains qui ont commencé à geler au fond des mitaines.

Ceux-là se demanderont peut-être pourquoi. Ben, ils comprendront. Au moins une fois, tu vas leur montrer de quoi t'étais capable. Fais un homme de toi. Prends ta vie en main, décide toi-même, comme un homme, ton premier choix d'homme. C'est quand même curieux que le premier vrai choix que tu fais tout seul, sans même Ludovic, le plus important choix de ta vie, c'est ta mort.

Il s'attrape le bas du ventre :

— J'ai envie de pisser.

Puis il glousse.

Ris pas, espèce de fou, y a rien de drôle là-dedans. Par rapport qu'un gars qui rit en allant se tuer manque de respect et mérite pas de mourir. Repose-toi, une petite affaire, reprends ton respir, ça te fera du bien. Remplis tes poumons d'air fraîche et neuve. Le matin va se lever bétôt. Et t'auras besoin de souffle ben vite pour lâcher ton dernier soupir. Hé! t'as entendu ça? V'là une phrase qui pourrait se trouver dans tes *Morceaux choisis*.

T'en as appris des affaires dans le gros livre, le seul livre qui t'a instruit tout au long de ta vie, à part les dires de ton pére et les histoires de Sullivan et les bouts de vie des autres que t'as ragornés au cours de ton existence pour préparer tes vieux jours.

Tes vieux jours! C'est rendu que tu déparles, Joseph-Raphaël-Ludovic fils de Dieudonné, t'as pas encore seize ans! Ah, pis après… je crois ben qu'un gars qui va crever dans une heure, pas de différence, son âge, il vit ses vieux jours.

As-tu dit une heure?

Maniére de parler. Et pis ça me regarde, je peux prendre le temps que je veux. Si je m'accordais une heure…

Il se fige.

Une heure, Raphaël, ce qui s'appelle ta dernière heure, fais-en quelque chose que tu regretteras pas. Qu'est-ce que t'aimerais le plusse au monde, si t'avais le choix, pour remplir ta dernière heure? Tu l'as, le choix, t'as rien qu'à le prendre; ils pourront toujours ben pas te jeter en prison, tu seras pus là, ni rien à te reprocher, c'est pas la coutume au pays de faire des reproches aux morts. Ça fait que gêne-toi pas, fais comme dans le presbytère, rentre n'importe où, tout le monde dort, pis sers-toi. Va jouer sus l'orgue dans l'église, joue ton *Dies iræ*, pourquoi pas? si quelqu'un t'entend, il pourrait avoir le cœur gros et tu serais content qu'un seul braille sus ta tombe.

Ta tombe! T'as choisi de pas en avoir, t'as choisi de retourner d'où-ce tu viens, dans l'eau.

Qu'est-ce que t'espères, que l'eau soit moins frette ou moins creuse? Ça serait-y que t'aurais peur, mon gars? Hein? Ça serait-y que t'aurais peur? Ouais, j'ai peur! Pas peur de l'eau, pas même peur de la mort. J'ai peur de ce qui vient après. Après la mort. S'y fallait! S'y fallait que ça seye le curé qui ait raison. L'enfer, le purgatoire, ou un paradis d'anges et d'archanges en robe blanche et en procession durant toute une éternité qui finit plus. Tu te crois capable de toffer ça, Arlequin? J'aimerais autant pelleter du charbon, tant qu'à ça, et regarder passer de loin la procession. Comment savoir ce qui t'attend de l'autre bord? Y a rien qu'une façon de le savoir, Raphaël, c'est d'aller voir. Et la seule façon qui te reste d'aller voir...

Décide-toi.

— C'est ben, c'est ben, j'y vas. Pousse pas, laisse-moi juste guetter le courant qui viendra briser la glace, je tiens pas à me fendre la tête sus un glaçon.

Laisse-moi juste espérer la marée haute, permettre à la mer de m'emporter doucement, me ramener d'où je viens, du fond de la mer... le ventre de ma mère... la mer, la mère, qui me bercera jusqu'à la fin des temps, dans une autre vie. Une autre vie? J'aurai-t-y droit au paradis, avec le paquet de péchés que je refuserais même de confesser au prêtre qui m'a refusé sa grange? Le monseigneur qui m'a garroché dans la plus grande tempête du siècle, m'a laissé geler de la tête aux pieds... J'ai beau essayer de grimper, mes bottines se rebiffent, refusent d'enfiler la ferraille du pont, je parviens pas à grimper au faîte, mes pieds m'empêchent de poursuivre mon destin.

C'était donc ça, mon destin, le destin du prédestiné venu sur la terre pour mourir à quinze ans? Pour une fois que t'avais pris ta vie en main, Raphaël, décidé toi-même de ta vie et ta mort, choisi ton heure, décidé de ton sort, v'là tes bottines qui te gèlent sus tes pieds et t'empêchent d'avancer.

Il essaie de descendre à reculons, et oups... dégringole jusqu'au tablier du pont. Il se tâte la tête, la secoue et retrouve ses sens, complètement dégrisé. Mais quand il veut jeter un œil mauvais du côté de ses pieds qui l'ont laissé tomber, il aperçoit cette paire ridicule de bottines rabougries, écornées, honteuses d'avoir épousé la forme de ses pieds, les pieds qui un instant ont été maîtres de son corps et de sa volonté, ont dominé sa tête, son cœur, son âme, ont joué au destin.

Et t'ont sauvé la vie, flanc mou!

Il éclate de rire. Un rire saccadé qui grimpe les barreaux du pont de fer et déferle jusqu'à la mer qui n'a point voulu de lui. Un gars qui rit est pas mort, pas à la veille de mourir. Il songe à Scapin et ses clowns blancs, victimes des temps creux, et comprend pourquoi ils ont continué leur métier d'amuseurs publics.

— Tu te souviendras de ça, sus tes vieux jours.

Le jour se lève à l'est, de l'autre bord de la dune, et illumine le village. La tempête est finie.

Couac!... Couac!

Qu'est-ce que c'est?

Il lève la tête et voit au-dessus le grand V des outardes. Il ferme les yeux, les ouvre, bigle, calouette,

126

le V approche... Couac, Couac... se dédouble, se multiplie... Couac, Couac, Couac... quand il passe au-dessus de sa tête, ce sont des WWW...

... Va vite ramasser ton livre et ta musique à bouche, oublie pas que Monseigneur dit sa messe à sept heures.

— Non, Ludovic, il est sept heures quand Monseigneur dit sa messe.

Ça serait pas dit qu'il laisserait le dernier mot à son double. Ni le dernier mot, ni le premier pas. Et jetant un œil à ses bottines tordues, gelées dur sur ses chevilles :

— Pouvez-vous me dire lequel de vous deux est le pied gauche ?

Et il part en clopinant.

3

L'APPRENTISSAGE

Le vieux Clovis lève la tête, la main en cornet autour de l'oreille. Il compte les coups qui s'envolent du clocher :
Six : une femme ; neuf : un homme ; dix…
— Dix… pas possible… dix, douze, quinze, dix-huit… qui dans le diable a droit à un glas de vingt coups de cloche ?
L'aîné des Thibodeau Frères s'arrête sur le perron de son magasin général et renifle le temps.
— Boy o' boy ! Y a un gros bonnet qu'est mort à matin !
Les cloches revolent comme pour un mariage. Pas la messe de Pâques à la fin du mois de juin, quand même !
Maude sort de sa boutique de tissu à la verge et de fil mercerisé, les poings sur les hanches et l'œil à pic qui interroge le gérant de la Banque Royale qui vient d'ouvrir sa fenêtre sur le village estomaqué. Il suit la procession désordonnée des enfants d'école, les pieds enfargés dans les gongs qui dégringolent du clocher d'église parti pour la gloire. Les sons revolent en éclats métalliques et déglingués qui envahissent le village pour annoncer on ne sait plus quel deuil, noce, jubilé, déclaration de guerre… qui s'achèvent dans un hoquet, puis un geint, grincement, murmure qui chuinte et s'éteint. Silence.
— Eh ben ! v'à une cloche d'église qu'a besoin d'être huilée, ricane le vieux Clovis.

Quand le vicaire s'est engouffré en coup de vent dans le clocher, il a d'abord vu pendre une incroyable tresse de cordes glissant de la tête d'une princesse de quelque donjon royal de conte de fées. Puis il a eu le temps de suivre les câbles et d'apercevoir tout en haut deux jambes qui battaient l'air en cherchant désespérément à s'agripper au gigantesque grelot. Le prêtre ahuri aspira profondément puis hurla :

— Bouge pas ! reste là, je monte !

Comme si ! comme si ça ne suffisait pas d'un écervelé emprisonné sous le cône de la cloche, au faîte du plus haut clocher du diocèse, comme si les cordons allaient pouvoir en supporter deux !

— Attends une minute, je vais chercher le bedeau.

Ah non, pas ça ! Raphaël voulut lui crier de ne pas mêler Ovila à cette affaire, son ennemi juré qui ne rêvait que de le voir se casser la gueule sur le marbre du portique.

— Espérez, je peux descendre, grouillez pas.

Mais le vicaire a déjà relevé les pans de sa soutane et pris ses jambes à son cou.

Raphaël n'a plus de mains pour s'attraper la tête mais n'en jure pas moins son : Qu'est-ce que j'ai fait au bon Dieu !

— C'est ben, Ludovic. C'est toi qui m'as mené là, aide-moi asteur à redescendre sans dévaler la tête la première.

… Moi qui t'ai mené là ? Ludovic est le frère de Raphaël, point d'Arlequin.

Ah bon ? C'était la première fois que son jumeau imaginaire se prêtait à ce genre de distinction. Il était bien, comme lui, le digne fils de Dieudonné ! Et Raphaël voulut pavoiser, mais son bras droit lâcha prise et le gauche eut juste le temps de s'enrouler à double tour sur le câble de soutien. Arlequin, qu'il a dit ? Pourquoi pas Scapin, tant qu'à faire, et Jocrisse et tout le cirque des romanichels! T'es rendu si rouillé que ça, Raphaël?

— Regarde-moi faire, frère ingrat!

Quand le jeune vicaire revint en poussant dans le dos le bedeau récalcitrant, ils trouvèrent Raphaël assis sur le plancher du clocher en train de démêler les cordons du gros bourdon en sifflant victorieusement *Home... home on the ranch!*

En moins de trois mois après sa résurrection d'entre les morts – c'est ainsi qu'il avait baptisé son sauvetage *in extremis* qu'il continuait d'attribuer à ses bottines gelées –, Raphaël avait réussi à franchir la fin de son enfance, sa puberté, son adolescence, et entamé un état de gaucherie superbe et fanfaronne qui annonçait un embryon de maturité. Après longue et profonde réflexion sur son sort et concertation avec Ludovic, le jeune héros avait résolu non pas de vivre, mais de revivre. Tant qu'à s'y mettre, de renaître! Puisque sa naissance l'avait rendu coupable de l'homicide involontaire de sa mère, il ne pourrait lucidement faire face à son destin qu'en ressuscitant des cendres de sa première vie.

Il plongea dans ses *Morceaux choisis* pour y retrouver l'histoire de l'oiseau qui renaît de ses cendres, Phénix, qu'il dut répéter cent fois à Peigne qui n'en continuera pas moins de l'appeler Félix, pour la simple raison qu'il connaissait ce Félix qui avait un nez d'oiseau, traînait son éternel capot couvert de cendre et avait depuis longtemps dépassé l'âge de mourir. Surtout que le sourd-muet, depuis qu'il avait trouvé l'usage de la parole, s'amusait comme un petit fou avec les mots, tirant de chaque nom ses multiples dérivés: Félix, félixité, félixitation...

Mais ce jour-là, Raphaël n'était pas d'humeur à s'amuser. Il avait son cœur à vider comme l'on vide sa vessie, et Peigne, qui s'était adonné à passer dans son champ de vision au moment où son ami se préparait à livrer son ultime combat avec l'ange…

— C'est point un archange, ton saint patron?

— Assis-toi, Peigne.

Ce qui se dit en cette fin de journée entre les deux personnages les plus hétéroclites que puisse imaginer un auteur pourrait se résumer en un paragraphe, selon que le lecteur est anxieux ou pressé, ou s'étendre sur un récit de mille quatre cent cinquante-huit pages, selon qu'il s'intéresse au sort de deux compères, assis à califourchon sur une bouchure de lices, en train de jouer leur destin en prenant à témoin l'étable, la basse-cour et le cortège des anges. Mais ni le Créateur du ciel et de la terre, ni le plus humble des créateurs qui s'acharne à refaire le huitième jour de la Création initiale et inachevée n'a le pouvoir de prédire la suite des événements livrés au caprice des vents, des étoiles, des humeurs, des intérêts, des tendances et, depuis sa toute récente découverte, du code génétique de chaque être qu'il tente d'arracher du néant. Raphaël, qui ne soupçonnait rien des multiples gènes qui le tiraillaient, n'en comprit pas moins qu'il était comme tout le monde livré à des forces bien au-dessus des siennes.

— Toi itou, Peigne.

Mais Peigne, qui n'avait entendu que ce qu'il voulait entendre, refusait de démissionner. Refusait avant tout la démission de Raphaël qui s'interrogeait.

— De qu'est-ce tu parles?

— Je parle point, je pense. Tout haut.

— Je sais. Mais à quoi penses-tu?

— …

— Tu penses qu'on est nés toi pis moi à côté de la traque ; qu'y a ceux d'En-haut, ceux d'En-bas, pis nous autres, en dehors. C'est ça, hein ?

— Non.

— Non ?

— C'est toi la traque.

Raphaël en eut le souffle coupé. C'est bien Peigne qui avait dit ça ? Lui, l'attardé empêtré dans ses troubles d'apprentissage, le treizième, abruti et laissé-pour-compte, était en train de tracer sa voie à l'enfant de l'exil revenu comme un cheveu sur la soupe, ou comme un héros. Comme s'il lui enjoignait de redessiner la carte du village de ses ancêtres.

— Tu me prends pour Noé, Jonas ou l'un des prophètes de l'Ancien Testament ? C'est à peine si je réussis à rejoindre les deux boutes.

Et il se mit en frais de raconter à Peigne son retour à la vie en cette sombre nuit de la fin mars où ses bottines… on connaît l'histoire. D'abord sa dégringolade en bas du pont et son dégrisement instantané ; l'apparition du triple WWW des outardes qui rentraient du sud, comme lui, le migrant ; la récupération de ses biens livrés à la garde de l'Ecce Homo à l'entrée de l'église ; son long printemps en quête d'un gîte mieux adapté à la nouvelle saison ; puis la surprise des surprises, sa rencontre avec le vicaire.

— El nouveau. L'assistant-monsigneur.

Raphaël ricane :

— J'imagine pas ce vicaire-là porter un jour du violet à ses boutonnières.

Non, pas de monseigneuriat pour le père Richard. Pape, peut-être bien, mais pas curé de paroisse. De toute façon, ç'allait pas tarder qu'entre Monseigneur et son vicaire, la chicane éclate. Rien n'avait encore paru au grand jour, mais ces choses-là se sentent et Raphaël avait du pif. Alors il répond à Peigne qui veut savoir pourquoi un prêtre de plus :

— Pourquoi faire un vicaire ?

— Pour faire la *dirty work*.

— Hé, hé, hé !…

— Pour… pour…

Pour Raphaël, sa rencontre avec le jeune vicaire avait signifié son passage de la grange à l'attique du presbytère, en plus de sa première embauche payante : sonneur de cloches, raseur de gazon, videur de vidanges, décrotteur des en-dessous de bancs d'église, avec le titre d'apprenti bedeau, autrement dit chargé de la *dirty work* auprès du haut gradé Ovila.

— *Bullshit !*

Mais en recevant dans sa paume sa première paye un dimanche après les vêpres, Raphaël en oublia la crasse et la gomme collée sous les bancs des dernières rangées de la nef centrale, oublia le croc-en-jambe d'Ovila et l'œil inquisiteur de Monseigneur, oublia même de le remercier, pour se mettre immédiatement à compter son argent. Un demi-dollar par semaine. Sur le coup, il se crut riche et se préparait à courir au magasin général, mais fut arrêté dans son élan par l'incipit du sermon :

— J'espère qu'après avoir réglé tes obligations, tu vas songer à faire des économies.

Ses obligations ? On n'allait pas lui demander de payer sa dîme, quand même, il n'était pas chef de famille, ni de donner à la quête. Il leva des yeux ahuris sur le visage de Moïse descendant de la montagne chargé de ses tablettes :

— Songe que tu es nourri et logé aux frais de l'Église, qu'il entendit résonner contre les marbres du grand hall puis lui rebondir dans le cerveau. Montre-toi digne du bercail qui accueille jusqu'à la brebis galeuse de son troupeau.

La brebis galeuse, qui se gratte et marche en boitillant sur les travées de la traque qui découpe le village entre les gens d'En-haut et les gens d'En-bas, l'archange en habit d'Arlequin, Raphaël-Ludovic, le clown-prophète, déambulant sur les rails de la voie ferrée en réfléchissant à son étrange destin.

... C'était ça ta vision, Dieudonné?

Ça la mission dont il avait chargé son fils unique? Le neveu rejeté de la famille, le descendant exclu de la patrie, le largué sur les grands chemins, sans toit ni place à table, sans feu pour lui réchauffer les pieds, sans changes de dessous neufs pour passer de la saison froide aux saisons modérées, forcé de porter des bottines de femme, celles de Clémentine qui, en avalant les larmes de son nez pour ne rien laisser voir, eut beau en ce matin de mars couper les lacets aux ciseaux et tirer sur les bottines à lui arracher le talon d'Achille, ne parvint pas à le déchausser sans réduire en charpie ses galoches gelées, reliques qu'il eût tant voulu conserver comme des ex-voto.

Pourtant, ce matin-là, il avait éprouvé une sensation toute neuve. En fourrant ses pieds meurtris dans les chaussures lacées de la servante, il avait cru sentir une chaleur qui lui réchauffait plus que les chevilles et les jambes, qui lui montait tout le long de l'épine dorsale, envahissait son être, rejoignait ses souvenirs d'un temps primordial à sa naissance... du temps que sa mère avait dû hésiter sur le sexe à donner à son enfant. Raphaël avait lu des mots étranges dans son grand livre sur le sexe des anges et se demandait... pour la première fois se demandait s'il n'était pas une fille manquée. Ou une sorte d'androgyne comme son archange tutélaire. Mais cette image sitôt apparue fut sitôt emportée, puis effacée de son cerveau.

Un soir qu'il avait été invité à jouer de la musique à bouche à une noce chez les Thibodeau, il avait d'abord hésité à se joindre au quadrille, n'ayant de sa vie pris une demoiselle dans ses bras. Et c'est au moment où le grand Jack l'empoigna pour le faire tourner qu'il se mit à virevolter au rythme de l'accordéon sans pouvoir s'arrêter, réglant son pas sur la musique, ondulant du torse et des hanches, les bras comme des lianes tendues vers les étoiles. Quand il se fut affalé sur un banc tard dans la nuit, ruisselant et cherchant son souffle, il avait éprouvé un sentiment de béatitude qu'il cherchait en vain à retracer dans quelque passage des *Morceaux choisis*. Non, rien ne l'avait préparé à cette émotion, cette harmonie entre son corps et son âme, ce quelque chose d'insaisissable qu'il avait à peine flairé dans certains tableaux du musée métropolitain ou pressenti dans les modulations qui sortaient des grandes orgues de la cathédrale de New York.

— Y a pas une créature qui danse comme cet escogriffe, qu'il avait entendu exclamer au-dessus des applaudissements des noceurs pompettes et joyeux.

Depuis qu'il avait vu allonger ses bras et ses jambes de façon disproportionnée, son front se bomber au-dessus de deux filets de sourcils, l'un en accent aigu, l'autre en accent grave, et entendu sa voix restée accrochée une octave au-dessus, Raphaël était devenu perplexe devant son physique indéterminé, flottant entre la grâce et la souplesse de l'artiste, puis la vigueur et la vaillance du conquérant. Quelqu'un lui aurait dit alors qu'il plairait à tout le monde, et il n'eût pas compris qu'il avait de quoi séduire les deux sexes, mais eût plutôt cru à ses dons de magnétiseur. Car dès qu'il eut chaussé ses bottines neuves et résolu de repartir du bon pied dans sa nouvelle vie, il conçut le projet de conquérir le village par surprise, par la petite porte et sur la pointe des pieds. C'est ainsi qu'un soir de dégel, du temps qu'il dormait encore dans la grange du presbytère, où il était sorti se chercher de l'eau au ruisseau pour se laver, il avait entendu des sons d'harmonica suinter d'une cabane mal calfeutrée. Il avait vu par la fenêtre qu'on brassait de la bière aux mères là-dedans et...

... Et de fil en aiguille, ou de la cabane des petits bootleggers à la somptueuse demeure du chef des contrebandiers, Raphaël franchit la distance qui sépare la survie de la vraie vie et, grâce à ses dons de musicien, grimpa les échelons plus vite qu'il n'avait espéré. Quoiqu'il ait dû, avant de se faire embaucher comme musicien officiel par les grands trafiquants d'alcool de la grandiose époque de la Prohibition, commencer son apprentissage en bas de l'échelle. Tout à fait en bas.

— Pour une croûte de pain ranci, je soufflais durant des heures dans ma musique à bouche, jusqu'à pus sentir mes lèvres gercées et mes joues plus raides qu'une peau de vache. Mais j'avais faim, ça fait que j'empruntais l'instrument à l'éprouvé qui jouait pus depuis la mort de sa femme, et je me lançais dans l'accordéon jusqu'à c'que mes doigts itou raidissent comme du bois sec. Ben, j'avais encore faim, de plus en plus faim, alors je me mettais à la bombarde, pis aux cuillères, et à la fin, y me restait pus que les pieds encore capables de grouiller. Et c'est là, Peigne, c'est là que j'ai appris le métier, professionnel, ouais, je suis devenu le premier professionnel tapeux de pieds du pays des côtes, crois-le ou pas.

Peigne le crut. Car même si tout le long des côtes il avait vu taper du pied quantité de violoneux et joueurs de bombarde ou d'harmonica, il se disait que ceux-là n'étaient pas des professionnels.

Professionnel ou pas, Raphaël s'avoua en lui-même qu'avec sa moustache de soie et ses cinq six poils au

137

menton, surtout avec son statut de sans-abri, il n'avait pas grand pouvoir de négociation, l'expatrié n'ayant encore appris à négocier qu'avec son estomac. Encore chanceux en ce temps-là de pouvoir chaque matin plonger sa cuillère de bois dans un bol de porridge réchauffé et le soir grignoter des restants de table. C'est pourquoi l'embauche des bootleggers fut le Pérou pour Raphaël qui conclut pour Peigne, assis tous deux à califourchon sur leur clôture de lices :

— C'était avant ma job *steady* d'homme-à-tout-faire-assistant-bedeau, qu'il fit. Ça fait que tu comprends que passer une veillée à jouer de la musique et manger à ma faim, j'ai cru au paradis !

Et au souvenir de son exploit, Raphaël saute en bas de sa bouchure et s'élance dans un tapement de pieds scandé d'un clapement de mains qui met la basse-cour en émoi et fait meugler Rougeaude, la vache préférée de Monseigneur.

Quand Clémentine affolée s'amena aux nouvelles, les deux énergumènes étaient déjà rendus en haut du champ à cueillir des marguerites. Et la servante se contenta de rengorger son reproche :

— Depuis l'arrivée du vicaire…

Et elle s'en fut rentrer la vache à l'étable et les poules au poulailler.

C'était pourtant elle, Clémentine, qui avait accueilli le jeune père Richard avec une joie réelle, quoique rentrée pour ne pas inquiéter Monseigneur. S'il avait pu prévoir, le prélat, que ce blanc-bec fraîchement sorti du séminaire, le nombril encore humide et la tête qui penche vers la gauche, qui chante faux en plus, lit son bréviaire en langue vernaculaire et ose exprimer des idées qui lui sont propres, si on lui avait laissé entrevoir que petit à petit le vicaire gagnerait les cœurs que le curé était en droit de considérer comme ses acquis. Mais Monseigneur se tint au-dessus des cancans de paroisse et entreprit de cultiver chez son adjoint-serviteur les vertus d'humilité, d'obéissance et de loyauté, comme il sied à un prêtre subalterne.

Clémentine pourtant dressa un œil.

Mais elle se tut.

Elle se tait et songe.

Les événements s'étaient enchaînés à une telle vitesse que même le chialeux de Jonas ne pouvait plus poursuivre son éternel lamento sur cette terre perdue de Canaan où il ne se passait jamais rien. Et Clémentine, le nez visant son menton, souriait en voyant se dérouler sur l'écran de sa mémoire encore fraîche le film des trois ou quatre derniers mois.

Depuis l'apparition du jeune fugitif dans l'aire de grange du presbytère, elle s'était investie corps et âme dans sa lutte acharnée mais inégale contre le curé qui en avait assez sur les bras avec la Grande Dépression qui multipliait chaque jour ses victimes, combinée à la loi sur la Prohibition qui avait engendré un malheur encore plus grand : le débarquement massif de la gent des contrebandiers ; non, Monseigneur en avait déjà trop sur les bras sans prendre en charge en plus ce nouvel arrivé sorti d'on ne savait où et recommandé par personne. Il restait inflexible. Jusqu'à cette nuit infernale et inattendue de mars où le prêtre, averti de la disparition de l'exilé, fut soudain saisi de compassion ou d'une sainte crainte de Dieu et envoya sa servante à la recherche de l'enfant abandonné. La fidèle s'était morfondue jusqu'au petit jour, parcourant le village jusqu'à ses recoins les plus camouflés, et c'est au moment où elle allait baisser les bras et s'en aller cracher aux pieds de Monseigneur son dégoût d'une paroisse qui laissait périr un enfant qui lui avait demandé l'asile qu'elle reçut l'étrange apparition d'un ange migrateur en haillons, zigzaguant comme un soudard et hurlant aux outardes de l'attendre, qu'il s'en venait les rejoindre pour repartir à neuf dans sa nouvelle existence.

Clémentine sur le coup n'avait laissé paraître aucune émotion, mais attrapé Raphaël par le bras et l'avait ramené à la grange, sa grange, où toute la journée elle s'empressa de lui confectionner un nid chaud et douillet, à l'abri des vents, des rats, des puces, des regards indiscrets du curé qui cette fois avait choisi de regarder ailleurs.

Cette maîtresse femme, qui dans sa propre enfance avait vécu par anticipation les misères qu'annonçait le siècle, connaissait tous les trucs pour se prémunir contre tous les maux, dont les pires étaient le rejet et le sentiment d'abandon. C'est ainsi qu'elle ne questionna pas son protégé sur ses intentions de la nuit précédente – qu'elle soupçonnait pourtant d'avoir dépassé les bornes du permis. Elle s'était contentée de lui fournir un matelas de réserve qui traînait dans l'attique du presbytère, des couvertures piquées, un confortable doublé, une écuelle et des couverts en fer-blanc, et avait pris le risque de lui installer une lampe à pétrole qu'elle enveloppa dans une moustiquaire avec force recommandations :

— Oublie pas qu'y a rien que les flambes aiment mieux que le foin.

Raphaël était sûrement sorti de son état second, car il réussit à rire et enchaîner :

— Non, y a de quoi que les flammes aiment encore mieux : la chair rôtie d'un écervelé qui prendrait pas garde à lui.

Clémentine, en plus de soins matériels, avait offert à l'orphelin par la suite une oreille bienveillante, quoique critique quand elle voyait l'étourdi pousser l'audace jusqu'à compromettre le terrain gagné. Par exemple… Et elle se souvint de son histoire de l'orgue de la paroisse qui faisait la gloire de Monseigneur et que Raphaël avait en cachette profané.

Tout avait commencé avec le passage au presbytère d'un accordeur de piano qui avait avoué en plus savoir jouer de l'orgue. Monseigneur avait sitôt planté ses pouces dans son ceinturon violet :

— Allez l'essayer puis revenez m'en parler. On dit qu'il n'a pas son pareil dans tout le diocèse. J'aimerais connaître votre avis là-dessus.

Voilà comment l'accordeur de piano s'était transformé en organiste et comment Raphaël, du fond de sa grange et de sa nuit, était retourné dans la cathédrale de New York. C'est en se dressant sur son matelas à ressorts qu'il avait compris que son rêve s'était fondu dans la réalité, une réalité qui venait directement de l'église à côté, il entendait bel et bien de l'orgue. Il sauta de sa couche : les sons nouveaux qui, tard dans la soirée, montaient du vieil instrument qui ne connaissait d'autres mélodies que le *Kyrie eleison* et le *Dies iræ*, ne pouvaient sortir des doigts de l'organiste officielle, dame Thibodeau. D'un bond le jeune homme s'était déraidi, habillé, puis faufilé dans l'église en rampant sous les bancs. Et ç'avait été la révélation. Cet orgue jouait pour vrai, jouait de grands airs. Tout à coup, il le reconnut : le Bach de la cathédrale de New York.

Quand tard dans la nuit l'accordeur avait fermé chaque jeu de l'instrument avant de se rendre au presbytère, il avait pris soin de tourner la clef dans la porte de l'église, y emprisonnant l'intrus jusqu'à l'aube, à l'heure où le curé dit sa messe.

… Il est toujours sept heures quand Monseigneur dit sa messe.

Et ce fut la plus belle nuit de Raphaël depuis son retour à la vie.

Il avait aussitôt grimpé quatre pattes à la fois jusqu'au jubé, avait placé autour de l'orgue deux douzaines de lampions qui ne pouvaient laisser filtrer leur filet de lumière que par des vitraux teintés, avait tiré sur tous les jeux, puis s'était confortablement assis devant les claviers. D'abord hébété, il finit par se dire que s'il avait su passer de l'harmonica à la bombarde, à l'accordéon, même tâter une fois de la cornemuse et du violon, il finirait bien par apprivoiser ce monstre aux vibrations capables d'ébranler les murs de sa grange.

À sept heures, l'heure de la messe du curé, il fut réveillé par un bruit de portes qui grincent puis se referment, et les pas lourds et sûrs du célébrant qui revêtait les habits sacerdotaux. Et c'est là que Raphaël comprit. Il avait réussi durant une partie de la nuit à se démener sur les multiples notes des nombreux claviers pour finir par retrouver l'air de Bach qu'il n'avait cessé de fredonner depuis son aventure new-yorkaise.

Clémentine rigole.
— Le petit ratoureux pourrait en montrer à ses maîtres.
Elle lâche la bride à ses souvenirs et retrouve la suite de la percée du jeune prodige sur le terrain sacro-saint de la musique d'église.
Raphaël, de son propre aveu, n'avait pas eu l'intention d'envahir le domaine réservé aux gens de métier, il avait reçu en plein sommeil et sans l'avoir demandé la visite de son ange qui l'avait mené directement à l'église, puis au jubé, puis à l'orgue qui cette nuit-là quittait les *Dies iræ* et les *J'irai la voir un jour*

pour la plus sublime musique sacrée – ça, ni Raphaël ni Clémentine ne le savaient encore – qui par-delà les frontières et les océans monterait jusqu'aux cieux.

— Si seulement il avait pu en rester là, mais non, fallit que le petit malicieux entraîne dans la catastrophe un pire que lui, le beau Peigne qui fait même pas la différence entre un orgue et une cage à homard.

Clémentine laisse échapper malgré elle un rengorgement de satisfaction d'avoir trouvé cette image qui raccrochait l'Église à la mer. Mais sitôt elle se ressaisit : ça n'avait pas été en fin de compte une si horrible catastrophe. Les deux gamins s'étaient fait prendre, d'accord, attrapés sur le fait et accusés de profanation des lieux saints. Tut-tut... là, Clémentine trouve qu'on y allait un peu fort. Elle avait toujours imaginé les Lieux saints situés quelque part entre Jérusalem, la Palestine et la Terre Sainte, c'est-à-dire au pays où Dieu avait envoyé son divin Fils pour sauver ce qui pouvait encore l'être. Mais appeler *Lieux saints* l'église en pierres taillées qu'elle avait vue sortir de terre, quelques décennies plus tôt, qu'elle astiquait une fois la semaine à coups de balai, vadrouille, époussette et *lemon oil*, du chœur au jubé, commandant au personnel attitré constitué d'Ovila le bedeau – récemment augmenté de son assistant Raphaël – de gratter les lampions, changer l'eau des fleurs, préparer l'attirail des vêtements sacerdotaux, du surplis à la chasuble, à l'aube, à l'étole, tout ça, c'était bien beau, mais elle n'y voyait pas motif à profanation pour avoir déposé son fessier sur le banc de l'orgue et...

— Pourquoi c'est faire itou qu'il y fallit mettre l'innocent des Trou-Jaune dans le coup ! Il l'a renchargé de jouer des pieds sur les pédales d'en dessous, durant qu'il s'échinerait sur les notes des trois ou quatre claviers, qu'on aurait dit, sans mentir, que le petit sacripant était venu au monde avec du papier à musique dans les reins.

Ce que la servante ne savait pas, c'est que depuis sa découverte de l'orgue le sacripant se glissait chaque nuit par une fenêtre camouflée sous la broussaille et perfectionnait sa technique musicale, technique qu'en fait il réinventait à mesure, comme une année plus tôt il avait réinventé le mime. Il en fut si transporté que ce sont ses transports précisément qui alertèrent le curé. Quoique là-dessus Raphaël ait toujours soupçonné Ovila de l'avoir trahi. Peu importe comment l'anguille sortit de sous sa roche, Monseigneur apprit que non seulement le mécréant jouait de nuit sur l'orgue d'église le plus prestigieux du comté, et cetera… mais qu'il en était rendu à jouer autre chose que la messe ou les vêpres. Pire, et sur ce chapitre le prélat restait intraitable, c'est que l'insurgé s'y adonnait en cachette, c'est-à-dire sans la permission d'en haut. C'est le « sans permission » qui allait perdre le musicien en herbe. Car en ce coin de pays et à cette époque où tout était défendu sauf ce qui était permis et où rien n'était permis sauf ce que permettait le curé, le plus grave délit s'appelait la désobéissance à l'autorité.

Toutefois… malgré tout… nonobstant… quoique la situation s'annonçât catastrophique, le petit ratoureux se souvint des conseils de son père dont l'un, tiré des *Morceaux choisis : Plie mais ne romps point.* Raphaël vit alors surgir du torse de Monseigneur l'image du tronc, et de ses bras en hélices les fortes branches du grand chêne. Du même coup il sentit la souplesse du roseau se glisser dans sa propre moelle et dans l'éponge de son cerveau. Il plierait sur la forme, le décorum, les accessoires, consentirait à se plier en deux pour actionner les pédales aux pieds de l'organiste Florine Thibodeau, renoncerait à la musique profane, Bach compris, si tel était le vœu de l'autorité paroissiale, fournirait du temps supplémentaire, de l'énergie à revendre, des services inespérés que n'allait pas refuser l'organiste en titre qui, elle, ne renonçait à rien, surtout pas au pécule qui lui était dû. Raphaël pliait sur les apparences, mais secrètement gardait l'honneur sauf et ininterrompu. Il ne rompit point.

Raphaël, digne fils de Dieudonné le philosophe populaire, se plaisait à faire mentir les proverbes. Surtout ceux de nature à lui barrer la route de sa destinée. Tels : *Nul n'est prophète en son pays, Qui a bu boira* ou *Un malheur ne vient jamais seul.* Il s'insurgeait d'instinct contre ces dictons inventés par quelque vieux bilieux qui n'avait pas le vin joyeux ou pas le courage d'attaquer de front l'adversité. Notre héros, quant à lui, avait plutôt tendance à tripoter la phrase pour lui révéler son envers qui finit par dire : *Nul pays qui n'a son prophète*, ou *Boira bien qui a bien bu*, ou mieux, *Ne sort gagnant du malheur que qui s'en sort tout seul.*

Il s'en était sorti, s'en sortait, s'en sortirait.
— Qu'est-ce t'en dis, frérot?
… Je dis que t'as oublié çuy-là qui dit bien ce qu'il veut dire : *À quelque chose malheur est bon.*
— Salut, Ludovic, y a belle heurette qu'on s'a parlé.
… Depuis que t'as rencontré les Peigne et Boy à Polyte…
— Dis-moi pas que t'es rendu jaloux! Tu vas pas t'imaginer…
… Moi, imaginer? Ça, je te le laisse.
— Je sais, comme frère aîné, t'as reçu la meilleure part : tu raisonnes. Mais laisse-moi te dire que chaque jour j'apprends…

… À chaque jour suffit sa peine.

— … j'apprends qu'y a tout le temps moyen de sortir du trou. Rappelle-toi le temps qu'on mangeait de la porridge frette, qu'on grelottait à s'en casser les côtes au fond d'une Ford enneigée, qu'on s'enfonçait dans la giboulée jusqu'au croupion, les bottines gelées dur aux chevilles…

… Parle pas en mal de tes bottines.

— Excuse-moi.

… Excuse-toi auprès de celles qui t'ont sauvé la vie et sorti du trou.

Oui, Raphaël avait le sentiment que le pire était derrière lui. Depuis qu'il avait la permission de jouer de l'orgue sous l'égide de dame Florine, laquelle consentait même à lui montrer à lire la note, puis, au jour J de sa vie, depuis l'arrivée du vicaire.

Un autre beau jour à encercler sur le calendrier de son existence.

Un jour de printemps éclata le secret le mieux gardé dans l'histoire d'une paroisse qui ne péchait pourtant pas par excès de discrétion. Mais cette fois, le curé avait tenu à tout garder pour lui : la nouvelle, le mérite d'avoir obtenu ce qu'il voulait, la gloire de l'annoncer en grande pompe le moment venu.

C'est en effet dans la pompe que Monseigneur, décoré d'or et d'écarlate, coiffé d'une barrette qui pointait de plus en plus vers la mitre, monta en chaire en faisant taire l'orgue surpris en plein *Ite missa est.* Les dernières notes hoquetèrent, la paroisse se rassit et le prélat, à la fois grave et radieux, put lever les bras pour bénir ses fidèles, puis dans un silence suspendu qui en inquiéta quelques-uns, finir par lâcher le morceau :

— Je vous annonce que la plus… la deuxième plus importante paroisse du diocèse reçoit enfin son vicaire. Rendez grâce à Dieu.

Raphaël, penché au-dessus de la rampe du jubé, se redresse et regarde partout. Il a une vue panoramique de la masse qui, sous le coup de la nouvelle, se fige. Après cinq ou six secondes, elle se met par les petits à onduler, les têtes se collant les unes aux autres, chuintant, chuchotant, parlant de plus en plus haut…

— Un vicaire ? pourquoi faire ?

— Pour faire la *dirty work*.

— Pour assister le curé, voyons donc !

— Qui ça peut bien être ?

— D'où c'est ben que ça sort ?

— Ça serait pas le garçon des Goguen qu'a déjà été à Rome ?

— Pourvu qu'y se mette pas dans la tête de porter du mauve sus sa barrette avant l'âge.

— Ça se pourrait-y qu'un jeune néasse entreprenne de nous confesser ?

— Quoi-ce tu dis là ?

— Taisez-vous, bande de mécréants. Laissez parler Monseigneur !

Monseigneur, qui avait bien préparé son prêche, ne réussit pas à retrouver l'éloquence qui devait éblouir sa paroisse. Estomaqués, puis curieux, appréhensifs, pris entre le pour et le contre, les paroissiens oscillaient et n'arrivaient pas à se fixer sur la venue d'un renfort qui pouvait aussi bien renforcer la discipline comme ouvrir les bras à la tolérance et à la compassion.

C'est finalement Boy à Polyte, le seul représentant des gens d'En-bas qui dans leur ensemble préféraient fréquenter l'église de façon sporadique les jours de fête ou de grands débats, c'est Boy à Polyte donc qui eut le mot de la fin :

— Espérons de voir de quel bois y se chauffe le cul avant de décider de le renvoyer d'où-ce qu'y vient.

La sagesse goguenarde du capitaine sans vaisseau ni régiment s'avéra plus que prophétique, elle fut rassembleuse. Ça ne prit pas au nouveau venu quinze jours pour montrer la qualité du bois qui lui chauffait le... Et en dehors du flux des bigotes récalcitrantes qui ne lâcheraient jamais leur Église, ou du reflux des mécréants aguerris qui l'avaient lâchée avant d'y mettre les pieds, le nouveau venu fit l'unanimité.

Le premier à tirer les bénéfices de sa largeur de vues et de sa compassion naturelle fut Raphaël. L'arrivée du vicaire devait le rapprocher d'un pas de géant de son destin.

Avait-il flairé sous la soutane l'homme juste, compréhensif, courageux, auxquels traits s'ajoutaient les plus au goût de Raphaël alias Arlequin, les traits d'esprit, qui s'appellent aussi l'humour ? Dès leur première rencontre, les deux rebelles naturels se reconnurent. Et malgré l'appréhension du jeune homme devant toute forme d'autorité ecclésiastique, il comprit que...

... *L'habit ne fait pas le moine.*
— Merci, Ludovic.

Comment s'y prit le jeune vicaire pour réduire – le mot est trop fort – pour induire Monseigneur à baisser la tête, tendre l'oreille puis écouter ses observations, ça... Première victoire. Éphémère. Là-dessus, Raphaël pouvait en montrer au prêtre. Il avait une couple d'années d'avance sur l'Église, ayant été en position de la voir d'en dehors. Et il enjoignit au vicaire de se méfier. L'autorité dans cette paroisse n'était ni divisible ni négociable. Et il lui raconta comment il avait dû s'y prendre lui-même pour arriver à ses fins.

— Quelles fins?

— La faim. Manger à ma faim.

Et le vicaire comprit que pour sa première paroisse, il n'était pas tombé dans un jardin de roses, mais sur de la glace vive où il lui faudrait apprendre à patiner.

— Quel âge as-tu, Raphaël?

L'autre réfléchit, puis calcula.

— J'ai déjà eu quatorze, puis quinze, bétôt seize et je m'en vas direct sur dix-huit.

— En âge d'avoir un travail régulier et de te loger adéquatement.

Le jeune homme allait protester, il n'avait jamais été aussi à son aise. On était en été. Et depuis que Clémentine avait réaménagé son intérieur, il avait pris goût au nouveau confort et réussi à y ajouter du sien: des cloisons en treillis pour isoler de l'étable ses appartements, des bouquets de marguerites plantées dans des meules de foin, et, comble de raffinement, des dessins au crayon de plomb épinglés çà et là sur les murs de sa grange.

Quand, quelques jours plus tard, le jeune vicaire vint lui annoncer qu'on allait déménager ses pénates dans l'attique du presbytère, il ne trouva pas le maître au logis.

— Raphaël?... You-hou, Ra-phaël!

Pas de réponse. Même les bêtes sont dehors. Il entre quand même, fait le tour, fouille, grimpe jusqu'à l'aire et met malencontreusement le pied sur les dents d'une fourche qui lui renvoie son manche en plein front.

— Ayoye!... Le petit astucieux garde bien son donjon contre l'invasion, qu'il s'entend dire à voix haute.

Il se passe la main au-dessus des sourcils et sent déjà la bosse qui ne manquera pas d'afficher son méfait et de le déclarer coupable d'effraction. Il s'assoit dans la paille et glousse : coupable d'entrer par effraction dans une grange ! Il dresse la tête puis... puis aperçoit la décoration intérieure d'une aire transformée en galerie d'art. Il promène les yeux sur les planches des murs et reste estomaqué : serait-on rendu à la grotte de Lascaux ? Il s'approche, en oublie complètement sa bosse au front et déchiffre chaque feuille de papier quadrillé ou retaille d'écorce de bouleau. Des vaches, des chèvres, des chevaux, plusieurs chevaux, la ramée de poules et de coqs en mouvement, et un visage soudain, un seul, la tête d'une femme avec de grands yeux tristes et une bouche qui n'arrive pas à sourire.

— Ma mère, qu'il entend, juste derrière lui.

Plus tard, lors de son déménagement de la grange au grenier du presbytère, Raphaël racontera sa mère au vicaire. Il lui révélera comment il l'a retrouvée dans un musée de la métropole américaine, par pur adon.

— T'es sûr que c'était elle ?

— Qui c'est que ça pouvait être d'autre ? C'est la seule qui m'a fait b...

Il se tut. Il ne put tout avouer au prêtre, pas encore.

Le vicaire découvrira petit à petit les multiples talents du réfugié du presbytère. Il joue par oreille de l'harmonica, de l'accordéon, de l'orgue ! Il cite par cœur de longues phrases et des poèmes entiers tirés de son précieux bouquin de *Morceaux choisis*. Et voilà qu'il dessine comme... Comme qui ? Qui lui a montré tout ça ?

— Les portes de granges, que s'empressa de se vanter Raphaël.

Il avait flairé en effet l'originalité des dessins qui s'affichaient partout sur les granges du pays. Des chevaux, souvent disproportionnés, mais toujours gracieux et prêts à s'envoler. Ça, il ne l'avait pas vu accroché aux murs du grand musée, ni dans les vitraux de la cathédrale. C'était l'œuvre des peintres populaires du pays qui, comme lui, n'avaient pas appris. Il songea à Scapin et sourit :

— Auto-di-dacte ? qu'il fit.

Depuis qu'il avait quitté le cirque, Raphaël n'avait plus trouvé d'oreilles ouvertes à son bagou de connaissances confuses, hétéroclites, ragornées çà et là sur la route de sa destinée. Et il en resta époustouflé. Il leva les yeux et fouilla le ciel en quête d'une apparition impromptue de son archange tutélaire. C'est le ciel qui vous envoie, qu'il ne put empêcher ses lèvres de formuler tout bas. Et le vicaire l'entendit.

Il l'entendit mais le garda pour lui. Car il devinait que le survenant n'avait pas que des amis au village ; des complices du Bas-de-la-traque, sûrement, plus des compatissants chez les honnêtes gens qui craignaient Dieu mais encore davantage le jugement de leur conscience. Pas la conscience du bedeau en titre, toutefois, depuis longtemps souillée par ses intérêts et par la jalousie. Pas celle de Monseigneur, qui avait d'autres raisons de se méfier d'un énergumène capable du pire et du meilleur. Il avait même entendu le curé qualifier le jeune intrus de forcené. Et le vicaire s'interrogeait sur les craintes de l'Église devant un enfant de quinze ans qui s'en allait tranquillement vers ses dix-huit.

Tranquillement, en effet. Durant l'hiver qui suivit l'entrée en scène du père Richard, puis le printemps qui apparut plus tôt que prévu, débouchant sur un autre été, un automne, d'autres saisons qui s'accrochaient les unes aux autres sans se ressembler, comme si le siècle se renouvelait de l'intérieur. La Grande Dépression s'essoufflait, le bootlegging s'effritait avec l'abolition de la loi sur la Prohibition, l'économie se diversifiait et avait l'air de vouloir percer le ciel d'éclaircies. Le monde se portait mieux, se figurait qu'après avoir touché le fond il ne pouvait que remonter, enjamber les années qui le mèneraient tout droit vers...

— ... vers une autre Grande Guerre, que risqua la vieille Ozite, l'une des voyantes du village.

Mais personne ne prêta attention à la sage-femme cette fois, elle approchait ses cent ans et il lui arrivait de s'égarer dans ses visions disparates.

— Cent ans et elle met au monde des enfants ? s'était enquis Raphaël.

— Les enfants des autres, avait rétorqué la femme de l'Orignal.

Raphaël encaissa le coup, mais en resta tout de même interloqué. Il ne cessa de harceler Peigne ou Boy à Polyte, ou quiconque avait des relations, pour qu'on l'introduise chez la centenaire. Ce fut le vicaire qui l'y emmena. Mais par le détour du domicile des Charles à Charles.

Les Charles à Charles logeaient tout à côté de l'église, au point de se noyer dans son ombre à l'heure du coucher du soleil.

— Pas rien qu'à la brunante, avait osé protester l'un des fils récalcitrants, mais son père l'avait fait taire.

C'était ce fils, justement, qui avait introduit dans la maisonnée le vicaire, qui depuis en avait fait sa famille de prédilection. Il ne passait pas trois jours sans que le p'tit prêtre – terme qui le distinguait du curé gigantesque – ne s'arrêtât en passant. Toutes les occasions étaient bonnes. Mais le meilleur prétexte fut celui de leur présenter son protégé, le Raphaël que tout le monde connaissait, sans pourtant l'avoir jamais invité à table.

Les Charles à Charles possédaient un piano, pas à queue, ni à demi-queue, mais un solide Mason & Rich qu'on faisait accorder tous les cinq ou six ans. Et on y jouait, quasiment toute la famille, les filles, s'entend, les garçons se contentant de chanter. Imaginez Raphaël tombant dans une ruche de miel! Un piano, avec un clavier comme celui de l'accordéon, mieux, de l'orgue! Il n'osait s'en approcher, mais le toisait avec une telle intensité que la fille aînée osa lui proposer de l'essayer. Elle l'avait entendu à l'église en remplacement de la dame Florine et savait bien qu'il se mourait d'envie de tâter du piano.

Le coup de foudre!

Et les jours s'enchaînèrent les uns aux autres: il cognait, timidement, entrait en se glissant dans la fente de la porte et attendait qu'on lui indique une chaise. Il choisissait invariablement le banc de piano. Et la mère laissait faire. Et Anne la fille aînée ouvrait ses cahiers de musique et l'encourageait. Et de gamme de do en gamme de sol, de dièses en bémols, se promenant dans les tons voisins, Raphaël conquit le clavier en moins de temps que Napoléon l'Autriche et l'Italie.

Puis ce fut au tour de la voisine au gosier d'or de compléter le trio Clara, Anne et Raphaël, qui s'échangeaient les rôles d'accompagnateur, de soprano ou de mezzo; sauf le jeune homme qui, pour son malheur, avait une voix de fausset qui jurait avec les voix cristalline ou dramatique d'Anne et de Clara. On finit par établir les rôles et fixer Raphaël au piano. Ça n'a pas tardé que la maisonnée grossissait les samedis ou dimanches soir, se remplissant de voisins, d'amis, de parenté, jusqu'à inclure la tante Zélica qui s'en venait de Cocagne débarquer au Grand-Petit-Havre chaque premier vendredi du mois, jour où elle avait congé de sacristie et de sanctuaire. Le vicaire expliqua à Raphaël que, ces jours-là, les paroisses s'échangeaient leurs prêtres pour entendre les confessions des récalcitrants qui n'aimaient pas raconter leur vie privée à leur propre curé.

Raphaël fit taire Ludovic qui se préparait à larguer quelques commentaires salés.

— Suffit, Ludovic, c'est pas le moment.

Il aurait voulu entendre les élucubrations de son double sur le sujet, mais c'était l'époque où il nageait dans le bonheur et ne voulait surtout pas le gâter. Bonheur des doigts, des oreilles, du cerveau, du cœur.

Pour la première fois de sa vie, Raphaël sentait battre ce muscle qu'il avait cru jusque-là un organe comme les autres. Il avait éprouvé à profusion des émotions, des sentiments, des peurs, des aspirations, la sensation de l'émerveillement devant la grandeur et la beauté, mais jamais encore avec un tel courant électrique qui lui enfilait le râteau de l'échine et lui chamboulait les entrailles. N'en pouvant plus, il décida de faire revenir son frère.

— C'est ben, Ludovic, parle, je t'écoute.

Silence.

— Vas-y, engueule-moi, traite-moi de feluet, d'étriqué, d'avorton, de brailleur à la pleine lune…

… d'amoureux de deux filles en même temps.

— Quoi?

Raphaël perdit le souffle. Se pourrait-il que Ludovic soit la seule part honnête et vraie de son âme? le seul à comprendre un mystère qu'on ne comprend pas mais qu'on doit croire parce que c'est Dieu qui l'a révélé? Et puis non, ce n'était pas ça, pas aussi simple que ça, il se peut qu'il ait été en amour, plongé jusqu'au cou dans ce sentiment pas comme les autres, mais…

— Pas deux filles, trois, pis une était point une fille mais une femme.

Raphaël dut s'avouer son attirance pour une mère de famille, celle des Charles à Charles, qu'il aurait élue, s'il avait eu le choix, pour remplacer celle qu'il avait perdue. La mère d'Anne dépassait sa fille en beauté mûre et accomplie, avec ses gestes de tendresse si spontanés, si gratuits, les gestes de la maternité qui englobe les enfants des autres, d'ailleurs et de partout. Raphaël suffoquait sous cet amour qu'il n'espérait pas, n'avait même jamais imaginé. Il se voyait déchiré entre sa double inclination pour Anne et Clara, les deux premières filles qui, à leur insu, dardaient sur lui des rayons qui lui traversaient le cœur et la peau des tripes.

Ses boyaux, son cœur, son âme soupiraient, gémissaient, tiraillés mais heureux. Et pour couronner le tout, la bienveillance du vicaire qui lui avait fait confiance au risque de perdre lui-même celle du curé. Depuis son départ de la maison paternelle, Raphaël n'avait connu pareille fraternité qu'au cirque des romanichels, puis chez ses lointains cousins de la baie Sainte-Marie. La baie Sainte-Marie !

Il se surprit à se demander s'il avait fait le bon choix de poursuivre sa route vers le nord, toujours à la quête des ancêtres. Il se tourne vers Ludovic qui n'a pas le temps de répondre, car les doutes et interrogations de son frère sont emportés par l'entrée en scène du vicaire qui lance :

— Si quelqu'un est intéressé à rencontrer la sage Ozite…

— La voyante ?

— La sage-femme, la centenaire.

La première visite de Raphaël chez la vieille Ozite faillit tourner au cauchemar.

— Comme ça, t'es le garçon à Dieudonné?

La question était de bon aloi, mais le ton de mauvais augure. Raphaël eut peur. Venait-on lui annoncer une funeste nouvelle? Il n'avait eu aucun contact avec son père depuis son départ de la maison, bientôt trois ans. Il avisa la pointe de ses chaussures et attendit.

— Un moyen garnement, c'ti-là, 'tant jeune. C'est triste, il avait tous les dons. Mais apparence que la boisson...

Raphaël s'empressa d'expliquer que l'homme ne s'était jamais remis de la mort de sa femme.

— Ma mère, qu'il précisa. L'avez-vous connue?

Elle pensait à autre chose et ne répondit pas. Raphaël se rongeait les sangs. Comment tirer d'une voyante une prophétie qu'on ne veut pas entendre? Il laissait le temps couler, bifurquait du côté de la vie du village divisé en son milieu par la traque qui séparait les...

— ... nantis des anéantis, qu'elle fit sans sourciller, tout en laissant se dessiner sur ses lèvres un semblant de ricassement.

Petit à petit, Raphaël reprit le dessus. Il cherchait chez la centenaire moins son bagage de sagesse que son don de voyance. Jusqu'où voyait-elle et jusqu'à quand? Ses yeux fouillaient-ils avec la même acuité l'espace lointain et le temps futur? Qu'était devenu son père? Qu'allait-il advenir du fils? Si la vieille Ozite, perchée au-dessus du quotidien d'un village circonscrit entre deux baies et trois rivières, avait le don d'indiquer à un jeune rentré en terre ancestrale le droit chemin qui mène au destin, qu'elle le dise, il tiendrait le coup.

— Connais point de chemins droits, hormis ceux-là qui mènent droite en enfer.

Elle gloussa et pour la première fois écarta les lèvres sur un palais en dents de scie dans une grinche qui se voulait un sourire. Raphaël l'accepta comme tel et sourit à son tour, révélant une dentition à l'image du reste du corps, c'est-à-dire d'une asymétrie parfaitement harmonieuse. Les deux finirent par s'entendre comme larrons en foire : ici la foire s'appelait Grand-Petit-Havre ; les larrons, une centenaire et un jeune en friche, deux visionnaires qui ne voyaient pas autre chose que l'en-dessous et l'envers du visible, ce que la masse humaine n'a pas le temps d'investiguer.

En quittant Ozite, Raphaël se rendit au Bas-de-la-traque. Pour aucune raison mais par un instinct qui rarement le trahissait, il entra chez Don l'Orignal, sans cogner, comme c'était la coutume chez des gens où tous sont parents, soit naturels, soit par le sacrement, de gauche à droite, de long en large, de haut en bas, ou tout simplement par décision irrévocable de l'assemblée du peuple présidée par le chef coiffé d'un panache à six branches. Don l'Orignal ne portait sa couronne de bois qu'en de rares occasions, pour la plupart joyeuses ou burlesques.

— Hale une bûche, qu'il se fit dire en guise de bienvenue.

Et Raphaël sut qu'il était admis à siéger au conseil de bande.

Raphaël attirait sciemment ou malgré lui ceux qui semblaient n'avoir attendu que lui depuis des siècles pour retrouver une époque disparue. Mais pour ce prédestiné au nom d'archange, les époques semblaient cousues les unes aux autres à la corde de chanvre.

— La corde à virer le vent.

C'est Katchou qui a parlé, la benjamine ébouriffée du sieur l'Orignal. Raphaël l'avait remarquée une première fois dans les champs en friche en quête de trèfles à quatre feuilles, une deuxième fois sur les quais à l'arrivée d'un nouveau contingent de matelots, ce soir au logis familial, trônant sur une baratte renversée.

La corde à virer le vent? Raphaël se souvient. Cette phrase ne sortait pas des *Morceaux choisis*, mais du répertoire inépuisable de Dieudonné. Se pourrait-il que son père ne l'eût pas inventée? Puis il croit se rappeler l'avoir entendue dans la bouche de Marguerite à Yutte, ou serait-ce de la Badgeuleuse? le soir qu'il fut rescapé des eaux, il y a de ça une éternité. Il fixe Katchou et lève machinalement les bras pour attraper l'allégorie qui fait des bonds d'une terre à l'autre, d'une époque à l'autre, jusqu'à lui rebondir en plein visage dans une cabane du Bas-de-la-traque. Katchou en connaissait-elle le sens? Il consulte Ludovic, puis se risque :

— Qui est le meilleur icitte pour attraper la corde à virer le vent?

Tous se regardent, puis se détournent, puis ricanent, puis attendent que Raphaël commence.

— C'est ben, qu'il fait, je passe la spitoune à Boy à Polyte. Y a pas pus grand menteux que lui.

Mais à la surprise de tous, Boy à Polyte se récuse. Mentir est un art qui se pratique en sourdine, pas en public. Surtout que ce passé maître en fabulation ne sait pas qu'il fabule, en d'autres mots, qu'il tire la corde à virer le vent.

Et tirant les ficelles, Raphaël finit par tirer les vers du nez d'à peu près tout le monde, ce soir-là, jusqu'à faire cracher le morceau à Katchou elle-même qui se trouvait au centre du débat que son entrée en scène avait interrompu. Quand il eut compris que la cabane ne faisait pas le procès de Katchou mais du p'tit prêtre, Raphaël sauta de sa bûche comme un farfadet et se retint pour ne pas hurler. Retiens-moi, Ludovic, empêche-moi de dérailler, qu'il mâchouillait en silence en cherchant à organiser la défense de son meilleur ami. Une défense qui dura une moitié de la nuit, l'autre moitié consacrée à savourer sa victoire qui ouvrait un nouveau chapitre dans la vie de l'Arlequin du pays des côtes.

Katchou comme d'accoutume avait fait sa ronde sur les quais et sous le principal pont du village, quand elle avait vu surgir un client tombé d'une autre planète, gréé comme un corbeau de la tête aux chevilles, le collet relevé jusqu'aux ouïes pour cacher un personnage point accoutumé à prendre ces chemins-là la nuit. La fille du Bas-de-la-traque avait reniflé une affaire douteuse et s'était tenue sur ses gardes. Mais l'autre, quoique prudent, n'avait pas semblé vouloir passer à côté et avait continué à marcher droit sur elle. Puis elle avait entendu une voix de gorge lui égrener un chapelet de mots rares, aussi effrayants qu'aimables, des reproches qui se voulaient compatissants mais restaient fermes, qui cherchaient à lui dessiner le tableau de la vie de misère qui l'attendait si elle poursuivait sur cette voie qui ne pouvait aboutir... et cetera... alors qu'elle avait une âme, une belle âme que Dieu chérissait... et tout le fatras. Et c'est là, en s'entendant promettre une vie qui aurait pu ressembler à celle-là des demoiselles du couvent ou des dames du village, que Katchou avait pouffé et largué :

— Là, le p'tit prêtre, tu me fais rire !

Et toute la cabane avait ri avec Katchou en écoutant son récit.

Même Raphaël.

Mais le rire de Raphaël était stratégique. D'abord désemparé devant le geste du vicaire, il avait vite compris que c'était à son tour de l'initier aux mœurs de cette caste de hors-la-loi que quatre ans de séminaire ne lui avaient pas révélés. Il n'y avait pas l'ombre d'une Marie-Madeleine ou d'une Samaritaine dans cette Happy Town unique en son genre. Raphaël l'avait compris et se devait de le faire comprendre au vicaire. Pas à Monseigneur, cette cause était hors de sa portée.

Et c'est ainsi que le jeune vicaire fit son entrée par la porte arrière, la seule, qui conduisait au Bas-de-la-traque. Amené par son pupille et protégé. Et ce fut pour l'un et l'autre un tournant majeur dans leur carrière respective. Celle du prêtre était sacerdotale et sociale, comme il se doit; celle de Raphaël, d'un tout autre ordre, encore inconnu au pays.

Tout avait commencé par un jeu. Le père Richard n'était ni bête ni insensible, ne prenait pas sa fonction trop au sérieux et jouissait d'un sens de l'humour et des perspectives qui lui permettait de se moquer d'abord de lui-même. C'est ainsi que le ricanement de Katchou, qui eût réduit en compote tout ardent néophyte chargé-de-répandre-la-parole-du-Seigneur, fut pour le vicaire une douche froide qui lui arracha un superbe: «Eh ben! te v'là Gros-Jean comme devant.» Et il finit par rire à son tour. Il était donc prêt à entendre la plaidoirie de Raphaël en faveur d'une classe de gens déclassés mais soudés, incultes mais facétieux, pauvres jusqu'à l'indigence, mais riches d'une nature tout ce qu'on peut imaginer de plus primitif... pour le meilleur et pour le pire. Raphaël d'instinct avait ignoré le pire et moissonné le meilleur.

— Vous devriez venir les écouter, qu'il proposa au vicaire, les entendre jurer, turluter, you-de-layer en tapant du pied, se claper dans les mains et cracher dans la spitoune leurs *sacordjé de bonté divine de sainte mère de Jésus-Christ en croix!* Vous devriez entendre leurs histoires qui vous font aussi ben dresser la chevelure que fendre la rate, c'est moi qui vous le dis.

Le vicaire, quoique soupçonneux, céda et suivit Raphaël. Mais les deux eurent vite fait de mesurer la

160

distance qui séparait l'homme en soutane de la gent en haillons. Et devant le silence qui figea la cabane de Don l'Orignal après un bégaiement des trois quatre formules d'usage, ils s'éclipsèrent en douce.

Ça n'allait pas être aussi simple, il faudrait du temps.

Le vicaire avait tout son temps. C'est Raphaël qui bouillonnait d'impatience.

Depuis trois ans et plus qu'il sillonnait le Grand-Petit-Havre et sa couronne de forêts, champs, collines, terrains vagues, cours d'eau, bras de mer et bourgs avoisinants, Raphaël était devenu une figure essentielle le long des côtes qui se le passaient de dimanche en jour férié, en mariage, en enterrement, en jubilé. Pourtant, malgré son charme incontestable, sa drôlerie et ses talents universels, ce sans-famille restait à l'abri des jalousies mesquines. Personne n'eût voulu échanger son sort contre celui d'un apatride, fût-il génial. D'ailleurs le génie était un attribut qui ne pouvait appartenir qu'à des temps historiques et des pays lointains. C'est pourquoi l'on se disputait allègrement et sans ombrage les services du jeune prodige qui touchait les orgues de deux ou trois paroisses, dirigeait les chorales de trois ou quatre et secrètement commençait à dicter les prêches de…

— Ça, c'est de la pure invention de mauvaises langues, taisez-vous !

Raphaël était le premier à rire de ces rumeurs, sans doute sorties du cerveau fêlé sur les bords de Boy à Polyte. D'autant plus que l'artiste en avait plein les bras avec son rôle de bedeau officiel, depuis la démission obligée d'Ovila, le seul à ne point pardonner à Raphaël ses dons qui bourgeonnaient comme des cerisiers en fleurs. Il en était tombé dans les *horrors*, autrement dit le délire alcoolique, l'Ovila, et avait fini dans la démence. Non, Raphaël n'avait ni le temps ni le goût de se substituer au curé qui monte en chaire le dimanche. Et quand il sentait la démangeaison de griffonner, ses doigts s'orientaient d'instinct vers la satire.

En vers, de préférence. Et en gardant l'anonymat... mais un anonymat des plus transparents. Personne au pays ne pouvait rivaliser avec son trait de crayon pour reproduire les profils de la tante Maude, de Zélica veuve de Cocagne, de la Sainte, du banquier, des multiples mames docteurs, des trois Thibodeau Frères, de la supérieure du couvent, du vieux Clovis, voire de Clémentine... sur des endos d'enveloppes ragornées dans les paniers à rebuts du bureau de poste. Caricatures accompagnées de poèmes en alexandrins ou décasyllabes de son cru, mais inspirés, ou à l'occasion carrément plagiés des *Morceaux choisis*. Ces satires illustrées apparaissaient en général autour de la Saint-Valentin et s'accordaient parfaitement avec la coutume qui remontait à la nuit des temps. L'artiste innovait, mais toujours dans le sillon tracé par une ramée d'ancêtres qu'il avait précisément pour mission, au dire de Dieudonné, de déterrer.

Mieux que ça, et c'est là que le fils devait surpasser le père, Raphaël sentait de plus en plus grouiller dans ses entrailles, dans son for intérieur, dans ce fournil enfoui et secret qu'il n'aurait pas su nommer le subconscient, une urgence de créer du neuf tiré du vieux qui devait le projeter par-delà l'horizon, lui et sa lignée, lui et son peuple de porteurs d'eau silencieux qui n'en pouvaient plus d'étouffer leur appétit de vivre.

La musique, puis les arts picturaux, la poésie, la satire, les contes, le jeu : jeu du langage, jeu de l'imitation, de la narration, de l'improvisation, de... de la scène !

Enfin !

L'archange Raphaël, le barde, le mime, le comique, le tragique, l'homme de la scène allait naître, quasiment tout nu et tout seul. Et c'est chez les gueux du Bas-de-la-traque, dit Happy Town, que sortirait l'embryon du théâtre qui allait marquer un lieu et une époque de son sceau indélébile.

Katchou et son père l'Orignal, Boy à Polyte, Peigne et les autres seraient les derniers à connaître, et sans doute les seuls à ne jamais l'apprendre, quels rôles ils furent appelés à jouer dans la création d'une comédie humaine populaire qui devait sauver de l'ennui et sortir de l'anonymat un peuple particulièrement doué pour la fabulation. Si quelqu'un s'y connaissait en art de tirer la corde à virer le vent... !

Mais l'impatient Raphaël fut pourtant contraint à faire ses classes sans sauter les cinq ou six étapes de son apprentissage. Deux ans, trois ans : c'était bien long pour un coursier de race. Le vicaire en eut plein les bras de retenir la fougue de son disciple. Et le fougueux piaffait. Quand son travail de bedeau lui en laissait le loisir, plus souvent quand son envie de s'en évader était plus forte que lui, il prenait le large, sautait les haies de la paroisse puis, les mains dans les poches et le bec en sifflet, huchait aux corneilles de l'attendre.

— Espérez-moi, croasseux du diable ! qu'il répondait à leur couac-couac.

Et seul, enjambant les bouillées de trèfle ou les souches de peupliers grouillants de fourmis, il jonglait avec ses souvenirs et ses rêves confondus en un magma de pensées hétéroclites que son père appelait de la philosophie.

… Sa vie, sa pauvre vie de paria au destin ricaneur qui tantôt lui tendait la perche, tantôt se moquait de lui, sa vie avortée à l'heure où tout lui souriait, où l'avenir s'ouvrait sur la voie royale… il n'avait aucune idée à quoi pouvait ressembler une voie royale, mais son cœur lui disait que c'était par là qu'il lui fallait obliquer. Et il s'emballait, puis retombait sur ses pattes fluettes de chevreuil en rut.

— Qu'est-ce que je fais après? qu'il s'entendit crier aux oiseaux inquiets qui penchèrent la tête et pointèrent le bec sans savoir comment composer avec cette obscure crise d'identité.

La réponse en chœur qui finit par s'arracher spontanément de douzaines de gosiers étroits et rauques fit rire Raphaël et lui coupa la suite de son élucubration. Comment gloser sur ses états d'âme devant une gent ailée qui soudain avait décidé de s'en mêler? Il se préparait à lui répondre, quand il entendit un chant différent interrompre le chœur des oiseaux.

… *Passant par Paris, buvant ma boute… ei… eille.*
Le vieux Clovis.

Les deux s'assirent au pied d'une clôture barbelée, au mépris des dards qui leur picochaient le râteau de l'échine… le vieux parce qu'il était soûl, le jeune pour ne rien perdre des histoires du conteur qui puisait son inspiration au fond de sa boute… ei… eille.

— T'as su ce qu'a arrivé à Pierre Crochu et Johnny Picoté?

— J'ai entendu dire qu'ils étaient morts pas long-temps l'un après l'autre, l'un d'une pneumonie, l'autre des poumons au vif.

Clovis lève un sourcil:

— Trépassés le même jour du même mal, coume tu dis. Ben avant de mouri', ils aviont fait une gageure.

— Ah ouais?

— Si fait, gagé sus l'houneur que rendus de l'autre bord, si par adon ils se trouviont point ensemble, ils iriont se rendre visite. Ils se trouviont point du même bord, ça fait que...

Silence. Le conteur accorde à son public le temps de protester, mais Raphaël ne bouge pas.

— ... Ça fait que tel que promis...

Raphaël se tient coi. Il laisse tranquillement Clovis prendre son respir, se dérhumer, chercher les mots flèches pour mener son histoire jusqu'à l'apogée, la tenir en suspens, la dérouler vers le dénouement, puis soudain remonter vers l'anti-climax, avant d'atteindre sa pointe, et la chute qu'attendait Raphaël. Il la saisit au vol, l'empoche et... entend rire puis applaudir son frère aîné.

— Amène-toi, Ludovic, on a du pain sur la planche.

... Les planches, répète le frère imaginaire. Procure-toi un fanal pis un rideau.

Avant le coucher du soleil, Raphaël avait rassemblé la bande à Boy à Polyte, son ami Peigne, Katchou et sa cour. Sans le savoir, l'Arlequin du pays des côtes venait de fonder sa troupe de théâtre.

La pièce fut présentée en première dans la shed attenante à la cabane de Don l'Orignal. On refusa du monde. Faut avouer que ce hangar à bois était assez exigu. Mais la gent du Bas-de-la-traque ne s'en formalisa pas et se hâta d'abattre l'un de ses quatre murs. Ce qui en fit une véritable scène de théâtre, la première du Grand-Petit-Havre, qui s'en mordit les pouces.

— Et notre salle paroissiale, qu'est-ce que vous en faites?

— Une salle paroissiale, justement, pas un théâtre.

— Mais on pourrait y jouer une séance.

165

— On pourrait, ben, on l'a pas fait.

— Qu'est-ce qu'on espère ?

On espérait un Raphaël, un maître de scène, un authentique homme de théâtre, auteur-acteur-scénographe-directeur-de-plateau-et-des-finances, capable de faire rire, pleurer et se trémousser un public aussi varié que le haut et le bas de la voie ferrée qui traversait l'un des villages fondateurs de la nouvelle Acadie.

Et les plus hardis des deux branches se surprirent un soir à venir applaudir la troupe de gueux qui jouaient leur propre vie dans le plus pur style des farces médiévales. En commençant par la scène des retrouvailles dans l'au-delà des défunts Pierre Crochu et Johnny Picoté.

Après une série de péripéties toutes plus facétieuses les unes que les autres et qui préparaient la rencontre des deux joyeux compères, le dernier épisode les amenait à l'ultime confrontation :

Pierre Crochu et Johnny Picoté se rencontrent à mi-chemin.

JOHNNY PICOTÉ

Peux-tu me dire comment c'est que vous passez votre temps en haut-là ?

PIERRE CROCHU

On repose nos vieux ous.

JOHNNY

À quoi faire ?

PIERRE

Ben… l'avant-midi… on prie et chante les louanges du Seigneur.

166

JOHNNY

Ah bon ! Et quoi c'est que vous faites l'après-midi ?

PIERRE

L'après-midi… on va en procession.
Silence. Puis

PIERRE

Et vous autres, comment vous passez le temps ?

JOHNNY

L'avant-midi on pelte du charbon.

PIERRE

Et l'après-midi ?

JOHNNY

L'après-midi… *(il bâille)* on regarde passer la procession.

Les rires fusent. Raphaël retrouve l'atmosphère des romanichels de New York et s'enhardit. Il se multiplie, improvise, pousse Peigne à mimer le diable, puis en ajoute un autre à sa diablerie, se souvenant de l'expression de son père : Arrête de faire le diable à quatre.

Le diable à quatre ?

Il lève les bras au ciel dans un V victorieux : il vient de saisir le sens de l'image. Et il coiffe Noume du panache à six branches de son père l'Orignal et le lance dans l'arène. La farce à quatre diables était née, renée depuis ses lointaines origines du temps que ses pères étaient encore sujets des rois francs.

Après le mime, après la transposition sur l'orgue, le prodigieux fils de Dieudonné réinventait la diablerie à quatre diables. Et c'était le début du théâtre de sheds et de granges qui devait passer la rampe de la traque pour aboutir dans la salle paroissiale jouquée sur la plus haute colline du village.

Mais avant d'en arriver là, Raphaël devrait monter une marche à la fois, que l'avertit Ludovic, grimper un à un les échelons des arts de la scène, comme il avait dû faire ses gammes à l'orgue, puis apprendre les lois de la perspective en peinture.

— Qu'est-ce tu racontes, frère casseux-de-veillées ? Regarde-moi aller !

Ludovic en eut le souffle coupé. Jamais auparavant ce poulain ne s'était emballé avec une fougue pareille. Et le frère aîné rentra ses griffes. Son cadet prenait les devants, atteignait avant l'âge sa maturité. Dumeshui, qu'il se dit, rectifia : dorénavant, l'archange déploierait ses ailes trop grand pour sa petite taille, mais le génie de Raphaël dominait sa taille corporelle. Ce génie, enfermé jusque-là dans sa bouteille, faisait sauter le bouchon et se préparait à faire éclater le verre.

Il y eut, en effet, de la casse. Les Bas-de-la-traque n'avaient encore jamais tenu le haut du pavé… d'ailleurs les routes commençaient à peine à se couvrir d'asphalte dans la première moitié des années trente. Et les gens d'En-bas, restés trop longtemps sur le pavé, n'envisageaient aucunement de déloger leurs vis-à-vis d'En-haut de leurs privilèges conquis de peine et de misère sur leurs vis-à-vis anglais. Sauf que…

Sauf que, cette fois, les envahisseurs venaient du Haut-de-la-traque, bousculaient les autres pour les meilleures places et se permettaient de les bombarder de leurs conseils. Et advint ce qui devait advenir : Boy à Polyte aspergea le public de ses injures, Noume encorné du panache royal fonça dessus et Katchou lui montra son cul. Le pauvre Raphaël se sentit débordé et appela au secours. Le secours vint du presbytère.

Le vicaire saisit l'occasion de se racheter et se rangea du côté du clan l'Orignal. Il lui fallut, au p'tit prêtre, fermer les yeux et se boucher les oreilles sur les audaces de Boy à Polyte, mais pour le reste, il joignit son rire et ses applaudissements à ceux d'un auditoire qui ne savait même pas qu'il assistait à du théâtre. Raphaël ne s'était pas donné la peine, en effet, de transposer les noms et personnalités des protagonistes. Pierre Crochu et Johnny Picoté apparaissaient tels qu'on les avait connus dans la vraie vie, descendaient ou montaient de leur au-delà sans se formaliser ni faire d'excuses. Et leurs compères vivants les accueillirent comme des oracles.

Le vicaire souriait. Raphaël jubilait. Ludovic abdiquait.

… T'as gagné une bataille, petit frère, asteur prépare les prochaines si tu veux gagner la guerre.

Raphaël, à dix-huit ans, pressentait qu'il lui restait un tas de croûtes à manger avant de parler de victoire. Il n'était pas encore maître organiste, ni chef de chorale, ni artiste peintre reconnu. Et son incursion dans la farce et les diableries n'avait fait qu'astiquer les semelles de ses chaussures qui ne s'étaient frottées qu'aux planches crottées d'une shed d'En-bas.

Il s'en fut se promener en haut du champ pour faire le bilan de sa dernière année où il s'était senti en butte avec lui-même et avec les autres, amis ou ennemis, qui ignoraient tout de son plan de bataille. À la vérité, le héros nageait lui aussi dans le doute et l'ignorance, cherchait à peser les succès et les échecs, interrogeant tantôt Ludovic, tantôt Dieudonné, plus souvent son cœur ballotté entre cinq ou six amours. Car aux visages de Clara, d'Anne et de sa mère s'était joint celui de Katchou et… non, pas d'autres, pas d'autres, le vicaire n'était que son mentor et soutien ; l'organiste en titre, son professeur de musique ; Clémentine… Clémentine resterait à jamais la réincarnation de sa mère vieillissante, celle qui n'avait jamais dépassé ses vingt ans. Raphaël refusait la perspective d'atteindre bientôt l'âge de celle qui l'avait mis au monde, cette image brouillait son imagination et lui serrait le cœur. Sa mère devait vieillir avec lui, et pourtant, là-haut, elle se rangeait à côté de la Vierge, se retrouvait parmi les icônes qui figeaient son visage angélique éternellement hors du temps.

Il revoit cette dernière année où son âme a atteint des sommets étourdissants, autant que des creux qui l'ont laissé aplati comme une crêpe de boquoite.

Il songe d'abord à ses tableaux peints en cachette dans le grenier du presbytère, le refuge qu'avait consenti en silence à lui abandonner monseigneur Théo. En cachette également, il s'était procuré des crayons de couleur qui traînaient sur des comptoirs de magasins, du papier d'emballage qui empaquetait les annales paroissiales, voire des feuilles quadrillées empilées sur le bureau du curé et que les doigts de Raphaël subtilisaient distraitement pendant que ses yeux regardaient ailleurs. Il s'abstint de confesser ces larcins sans conséquence et qui ne privaient personne, mais finit par prêter l'oreille à sa conscience le jour où il connut son premier échec d'artiste en herbe.

Toutes les étoiles semblaient pourtant s'enligner pour favoriser la reconnaissance de son talent. De la manière la plus inattendue, un jury d'experts – certains prétendirent qu'il s'agissait plutôt de marchands du temple, allez savoir ! – sillonna les côtes à la quête de spécimens d'art populaire. Quelqu'un avait sûrement informé les chercheurs de trésors de l'existence des chevaux sur portes de granges qui rivalisaient de splendeur dans les fermes de l'arrière-pays. Au point que les juges, tels les trois rois mages d'il y a deux mille ans, laissèrent leur étoile les guider de village en village et d'une étable à l'autre. Jusqu'au Grand-Petit-Havre où ils prirent leurs quartiers durant quelques jours dans l'unique hôtel à des lieues à la ronde. De là, ils purent rayonner du nord au sud et d'est en ouest, fouiller les maisons centenaires, passer au peigne fin les combles et les greniers et découvrir, à leur étonnement, que ce peuple dépourvu de grandes écoles ou d'institutions de prestige révélait des talents exceptionnels pour l'art naïf.

Le peuple inculte les lorgnait de loin, retenait son souffle et tendait une oreille inquiète.

— Étonnant.

— Prodigieux.

— D'une authenticité et d'une originalité exceptionnelles.

— D'une rare beauté.

Le valet de service de l'hôtel Bellevue passait les messages qui enfilaient la grand'rue du village et s'infiltraient dans les logis. Quelqu'un finit par suggérer, sans dire un mot, la création d'un genre de carnaval, ou joute, ou concours qui couronnerait l'artiste le plus...

— L'artiste le plus méritant, conclut le gérant de la Banque Royale.

Ainsi naquit le concours d'art pictural populaire du pays des côtes, présidé par trois experts issus d'un quelconque musée des beaux-arts.

On se souvient que Raphaël n'avait laissé circuler ses œuvres que sous forme de caricatures à la

Saint-Valentin. Même si tout le monde reconnaissait le coupable, les valentins, tel que le voulait la coutume, devaient rester anonymes. Mais l'artiste ne se limitait pas aux caricatures, pas même à la reproduction des chevaux de portes de granges ; il laissait toute liberté à son inspiration et à ses états d'âme, dessinait, peignait, élaborait des tableaux qui débordaient le cadre, prolongeait le village au-delà de ses limites, recréait un monde qui n'existe pas, pas encore, et camouflait ses esquisses dans les fentes des murs de son attique.

Un jour pourtant qu'il avait laissé traîner, l'œil distrait, un portrait de vieux conteur ivrogne, mélange de Clovis et de Dieudonné, le tableau avait circulé de magasin général en forge, en boutique de la tante Maude, pour aboutir finalement sur le pupitre de monseigneur Théophile, qui en avait fait ses gorges chaudes. Personne n'avait reconnu l'artiste, mais tous l'avaient condamné.

— Depuis quand un homme a pas les deux oreilles de la même taille ?

— Et une face verte picotée rouge ?

— Et a l'air de sortir de l'au-delà et de se demander d'où-ce qu'y vient ?

Et les rires avaient tué le portrait de l'homme aux picots rouges. Plus jamais, depuis, Raphaël n'avait laissé circuler au hasard ses tableaux.

Mais le concours, un concours jugé par des experts, d'un coup que... Il était déchiré. Balançait entre le doute et la secrète conviction que ses dessins pouvaient représenter quelque chose. La peur du ridicule surtout le prenait à la gorge. S'il eût fallu qu'Anne et Clara et puis Katchou ! Katchou, il n'en était pas question, elle-même ne se reconnaîtrait pas s'il la dessinait.

— De toute façon, personne se voit tel qu'il est, qu'il confia au beau Ludovic, son frère ricaneur.

172

Et Ludovic se tut.

— Même Katchou… pas vrai ?

… Essaye, pour voir.

— Tu veux dire… ?

Et machinalement, Raphaël avait tiré de sa cachette une feuille ramassée au pied de la chaire après le sermon de la grand'messe et ne se donna pas la peine d'aiguiser son crayon de plomb. Tout de suite il dénicha sa palette de rouge betterave, de jaune pissenlit, de vert jus d'épinard, de mauve bleuets écrasés et, des deux mains, se mit à écheveler la tête de sa muse. Puis il lui écarquilla les yeux et lui arrondit les joues, lui pinça les narines, allongea le cou, bomba le torse, cabra ses hanches plantées sur deux jambes effilées prêtes à envahir le haut du village. Il recula d'un pas pour ne pas lui barrer la route, puis finit par lui ouvrir toute grande une bouche rouge betterave qui criait au monde d'aller se faire foutre.

Un instant il s'était détourné, avait reculé de cinq six pieds, puis retourné d'un coup sec pour mieux surprendre son tableau. Non, ce n'était pas Katchou, pas la fille d'En-bas que tout le monde connaissait, mais l'autre que lui seul, Raphaël, voyait et aimait en cachette. Elle était son secret et devait le rester. Jamais il n'exposerait cette image aux yeux profanes.

… Les experts sont pas des profanes.

— Tu veux rire !… Tu veux pas dire que je m'en vas présenter le portrait de Katchou au concours !

… …

— Répète, c'est-y ça que tu proposes ?

… V'là ta chance.

— Jamais de la vie ! D'abord c'est pas elle, pis c'est pas juste. Elle vaut mieux que ça.

… C'est toi qui le dis.

— Non, c'est toi. C'est toi, frère imaginaire, qui veux présenter Katchou au concours de peinture.

… C'est ben, laisse tomber… lâcheux.

Quoi! se faire traiter de lâche par son propre frère, le frère sorti de ses reins, de son imagination!

Raphaël en suffoquait. Puis se calma. Puis réfléchit. Puis trouva!

Et c'est ainsi que le portait de Katchou figura au concours d'art primitif… sous la signature de Ludovic.

Ludovic? qui était Ludovic? On fit le tour de la paroisse, du canton, étendit l'enquête jusqu'à Memramcook, mais personne ne connaissait de Ludovic. On conclut à un auteur anonyme. Certains crurent même à un plagiat de grand maître.

— Du pur Toulouse-Lautrec, avait risqué l'un des jurés qui avait voyagé.

Et voilà comment Ludovic remporta tous les honneurs sans pouvoir empocher la jolie somme qui les accompagnait, au désespoir de Raphaël qui gagnait comme bedeau soixante-quinze cents par semaine. Tant pis! Même pour le salaire d'une année, il n'aurait pu livrer Katchou, ni trahir le seul secret qui lui restait, sa plus précieuse création, son frère Ludovic.

Pourtant il sut, en cet instant-là, que s'il avait vu le jour dans un autre temps et grandi sur une autre terre, s'il était issu d'un autre peuple… Il se remémora les tableaux du Metropolitan de New York et pleura une partie de la nuit. Puis, au matin, il mit la tête dans sa lucarne et éclata de joie.

— Grand fou! qu'il se dit, ça te suffit pas d'avoir gagné, de te faire dire que t'es le meilleur? Te faut être payé pour, en plusse? Continue pour gagner ta vie à balayer l'église et sonner les cloches, et pis ferme ta gueule!

Il se consola en songeant à Katchou sur sa feuille quadrillée qui envoyait tout le monde au diable sauf lui, Raphaël, le seul qui avait réussi à surprendre la face cachée de son âme, née du jus de fleurs sauvages et de fruits écrasés, et tracée au verso d'un prône de curé qui ce dimanche de mai prêchait que « tous sont appelés mais peu sont élus ».

Ce ne fut que des années plus tard et après un long voyage d'enchères en enchères que le tableau anonyme et sans titre avait abouti à son lieu d'origine. Et c'est le vicaire Richard, promu curé, qui le reconnut, puis de fil en aiguille put remonter jusqu'à son auteur. Son dernier propriétaire, en voulant refaire son cadre, avait découvert un sermon du dimanche au dos du portrait et s'était enquis auprès du curé. L'ancien p'tit prêtre avait tout de suite flairé le style de monseigneur Théophile. De là, il n'y avait qu'un voile à soulever sur le visage transposé de Katchou pour reconnaître la patte du plus audacieux et authentique artiste des côtes. Mais il était trop tard pour Raphaël. Il était déjà passé à autre chose. Car au lendemain de ses déboires avec la peinture, Arlequin s'était souvenu du mime, et le joueur d'harmonica avait retrouvé le goût de l'accordéon, de la chorale et de l'orgue.

Et comme pour le concours d'art qu'avait occasionné le passage au pays des experts ethnologues, le hasard planta de nouveau Raphaël face à son destin.

Dame Florine, l'organiste officielle, tomba en panne. En fait, elle était tombée enceinte. Mais mal tombée. C'est-à-dire, expliqua Raphaël à Peigne et ses compères, que la musicienne avait fait une fausse couche qui avait mal tourné. Tout cela paraissait fort obscur et complexe à Peigne, plutôt rigolo à Boy à Polyte, mais de bon augure à Raphaël. Il sympathisait avec son professeur de musique qu'il estimait vraiment, malgré son comportement et son tempérament emberlificotés

175

de détails qui finissaient par faire de l'orgue un genre de machine à coudre ou de dactylographe… mais passons, il aimait sincèrement dame Florine. C'est même lui, l'élève qui jouait par oreille, qui avait montré au professeur comment transposer de majeur en mineur ou vice versa. C'est pourquoi il compatissait à ses malheurs de santé, tout en se réjouissant de voir s'allumer un nouvel espoir du côté de sa propre carrière d'organiste.

Jusque-là, il s'était contenté d'inventer des mélodies en sonnant l'angélus, trois fois par jour, sept jours par semaine ; de jouer de l'harmonica ou de l'accordéon aux noces ou fêtes populaires ; de diriger la chorale qui de plus en plus s'éloignait des cantiques et s'orientait dans la chanson populaire. Mais toutes ces audaces comportaient des risques qui finissaient par envoyer Raphaël aux genoux de Monseigneur qui l'aspergeait d'injures et d'eau bénite. Parce que, veut, veut pas, l'enfant prodige était un bouche-trou incontournable et finissait toujours par obtenir son pardon.

C'est ainsi qu'il obtint même une promotion. Qui ne portait pas son nom, ç'aurait été dangereux pour l'âme encore fragile de l'acolyte que de lui faire porter un titre au-delà de son rang. Il resterait remplaçant provisoire et à temps partiel de madame Thibodeau, le temps de son prompt rétablissement. Qui ne fut ni prompt ni complet. Ce qui fit implicitement de Raphaël l'organiste à plein temps et pour un temps indéterminé, c'est-à-dire à perpétuité. Et ce qui, en plus de lui dégourdir les doigts et lui affiner l'oreille, le poussa dans le bureau de Monseigneur pour lui réclamer une légère augmentation.

Monseigneur Théophile fut sur le bord de suffoquer.

— Une aug-men-tation ? Mais qu'as-tu fait de l'argent que t'as reçu la semaine dernière ?

Raphaël songea à ses soixante-quinze cents et sa réponse fut aussi spontanée que cinglante :

— J'en ai pris la moitié pour manger et m'acheter des lacets de bottines, puis le reste… je l'ai envoyé en Suisse.

Il passa à un cheveu de revoler plus haut que le plus haut sommet de la Suisse, et à un demi-cheveu de perdre sa promotion d'organiste en chef.

Mais tout vient à point à qui sait attendre. La Fontaine dans les *Morceaux choisis*. Depuis belle lurette qu'il n'y avait mis les yeux. Or, une occasion inattendue le fit accourir à son livre de chevet.

La première… la deuxième plus importante paroisse du diocèse se préparait à recevoir de la visite importante. Les Louisianais. Depuis deux siècles qu'on ne s'était vu ! Un peuple scindé en son milieu lors d'une déportation – celle que tout le monde connaît et qui portait déjà le nom euphémique de Grand Dérangement – allait se raccorder, symboliquement, dans des retrouvailles grandioses au Grand-Petit-Havre. Le village s'enguirlandait, Monseigneur faisait accorder les orgues, les cloches et s'accorder entre elles les vieilles familles ennemies qui jouaient à la vendetta depuis leur retour d'exil. Mais surtout, il triait sur le volet tous les talents parmi ses fidèles susceptibles de damer le pion aux chanteurs, crieurs publics, comédiens amateurs ou orateurs chevronnés des paroisses rivales. Il fallait organiser des célébrations qui feraient passer aux annales le Grand-Petit-Havre.

Sur l'insistance discrète du vicaire, Raphaël fut convoqué.

On était trois autour du pupitre d'acajou : le curé, le p'tit prêtre, le bedeau. On prit à tour de rôle la parole, dans le respect du rang de chacun. Monseigneur émit une série de hum-hum… meublée de *bien sûr, bien entendu, cela va de soi, mais attention…* Le vicaire se risqua dans des chiffres approximatifs pour rassurer le patron, sortit quelques lieux communs pour éviter de mettre la charrue devant les bœufs, puis se vira vers l'artiste. Raphaël avisa la fenêtre biseautée, cligna des yeux, se tourna les pouces et se tut.

Une bouffée d'images lui envahit le cerveau. Non, lui infeste le cœur, le ventre, les reins. Il se sent soudain grand démon à qui l'on passe le bâton de maréchal. Il ricane puis soupire. Et si tout était permis ? Si vraiment on lui laissait une fois, une seule fois la bride sur le cou ? Il tourne ses pouces dans le sens inverse et parle sans regarder personne. Parle musique, décorations, théâtre.

— Quel genre de théâtre ? Tu as une pièce en tête ?

Raphaël voudrait larguer toutes les amarres de son imagination, lever le loquet qui lui barre la gorge, répandre le flot de mots qui l'engottent et qui, libérés, créeraient un univers fictif plus vrai que le réel, plus juste, plus habitable, plus drôle, si fait, plus drôle ! Il s'aperçoit, devant les yeux ronds de Monseigneur et le sourire rentré du p'tit prêtre, qu'il a dû parler tout haut, exprimer à mi-voix quelques bribes de son monologue intérieur.

… Tout est en place ici même sans avoir à rien inventer : le ciel, le firmament, l'étoile Polaire, l'étoile du Berger, le soleil et la face cachée de la lune, les marées hautes, les marées basses, les dunes, les champs de trèfles, la butte à Tim, l'étang des Michaud, la rivière à Hache, la forêt vierge où aucun homme n'a jamais mis les pieds, les nuages, la brise, la pluie et le beau temps… C'était le beau temps. Et ç'aurait pu durer si on n'était pas arrivés, nous autres, avec nos gros sabots, qui

ont tout saboté. Saboté le jour du sabbat ; vargé dans la forêt viarge à coups de hache… malaisé de rester vierge après ça.

C'est sans doute sur cette image que les yeux de Monseigneur s'étaient désorbités et que le ravissement du vicaire lui avait étiré les lèvres malgré lui. Raphaël avait sitôt ravalé la suite de sa folle envolée. Il sut qu'il ne pourrait transplanter sa shed dans la cour de la salle paroissiale, ni présenter à la délégation louisianaise l'essentiel des monologues de Peigne ou des pitreries de Boy à Polyte. Il comprit que son théâtre d'hurluberlus qui réinventait à son insu les farces et fabliaux des ancêtres de dix générations, que les improvisations d'un peuple de gueux assoiffés de défoulement, rien de cela n'était présentable aux délégués officiels qui avaient franchi de bas en haut la moitié d'un continent pour s'offrir des retrouvailles historiques.

Et pourtant…

Raphaël cherchait comment accorder son génie précurseur au retard qu'avait subi ce peuple qui tentait, la langue pendante, de rattraper les deux siècles perdus.

En quittant le presbytère sur les paroles encourageantes de la paroisse qui comptait sur lui pour sauver l'honneur du village – il ne restait pas quarante jours avant le jour J –, Raphaël déploya ses ailes et rejoignit sa voie ferrée. Il enjambait dans un rythme à trois temps les traverses de bois, chantant à tue-tête de sa voix de fausset et apostrophant les goélands à l'affût de barbeaux égarés, quand il reçut en plein front un présent du ciel sorti directement du cul du héron qui au pays s'appelle l'aigrette.

— Maudite volaille ! qu'il lui crie pour la remercier.

Et se fait répondre :

— *Quoi-ce tu dis làààààà ?*

— Ah bon ! on m'ostine en plussc !

179

Et son dépit se transforme sitôt en dialogue de volatiles : l'archange versus l'aigrette.

... *J'ai appris à durer à travers la pluie et le beau temps, dans les bons et mauvais jours, jour et nuit, les nuits les plus longues et les jours les plus courts, le pire et le meilleur, le meilleur qui s'appelle la vie, et le pire... sors de mon chemin, je passe.*

... *Passe, passe. Par le temps qu'on te rattrapera, tu seras déjà rendu.*

... *Rendu où ?*

... *Où-ce tu veux te rendre.*

... *Quand un sourd parle, c'est l'entendant qu'entend pas.*

Paroles d'un sourd-muet.

Raphaël repasse dans sa mémoire le long soliloque de Peigne dans le hangar ouvert au public des gens d'En-bas, un soir de pleine lune. L'éclairage naturel avait permis au régisseur d'éteindre son fanal. D'ailleurs, le visage du benjamin des Trou-Jaune dégageait sa propre lumière, en cette nuit de la Saint-Jean, animé par des souvenirs qui remontaient à son existence d'avant sa naissance. Quand le maître de scène, dans son habit d'Arlequin, avait relancé le sourd entendant sur la piste de sa vie prénatale, Peigne était rentré en transe, imperceptiblement, passant du naturel au mystérieux, de sa langue muette à une douce mélopée qui obligeait l'auditoire à tendre l'oreille. Mais bientôt et par les petits, les oreilles s'ouvrirent sur des paroles... des mots connus qui disaient des choses obscures et inattendues.

Ayez point peur que j'en vienne pas à boute, on finit tout le temps par réussir à parvenir à quelque chose qui ressemble à de quoi. C'est pas tout le temps ce qu'on visait au commencement, ben, c'est mieux de même, surtout pour les deux yeux dans le même trou qui savent pas viser. Quand j'aurai fini, ça sera autre chose que quand j'aurai commencé, pour la bonne raison claire comme de l'eau croche que j'ai même pas encore commencé.

Arlequin était intervenu :

Où-ce tu veux te rendre ?

Et Peigne :

Où c'est, Peigne fils de Trou-Jaune, où c'est que t'as-tu décidé de te rendre jusqu'au boute ? Et au boute de quoi ? Quoi c'est que tu cherches ? Un monde meilleur ! Meilleur que quoi ? Le monde est bien fait, c'est toi, Peigne, qu'es fait tout croche. Wow !... une fois que j'ai compris ça, tous les morceaux s'sont mis ensemble, ça s'a mis à ressembler à de la vie, la vie s'a mis à ressembler à de quoi. Et toi... t'as plus besoin de ressembler à rien, t'es juste un morceau de puzzle du tapis qui couvre la terre où c'est que t'habites et t'as juste à trouver où-ce tu fittes.

L'auditoire suit les paroles et cherche à les décortiquer.

Je suis mal fait, je le sais, mal parti, incomplètement inachevé comme un prématuré, même si je suis pas arrivé avant l'heure, mais après. Un retardé. Tout le monde m'espérait, apparence, pis y a venu un temps où c'est que chacun a venu tanné et s'en a retourné à ses affaires, en me laissant tout seul avec ma mére. C'est la seule qu'est pas partie, je finirai jamais assez de la remercier. À dire le vrai, moi, je m'ai aperçu de rien, si j'avais su que j'étais attendu de même, j'aurais essayé de faire de quoi, pousser plus fort, je sais pas, hucher. Ça doit être ça que j'ai fait, mais le son passait pas, ça fait quand j'ai apparu pour vrai, sorti de mon trou noir, y avait plus personne pour m'écouter et je suis resté sourd-muet. V'là mes origines, ma tache originelle au grand complet. Cherchez-la pas ailleurs, c'est Peigne qui l'a. Et c'est ça qui doit trouver sa place dans le puzzle du tapis, pour que le monde à la fin finisse par ressembler à de quoi. De quoi de beau, avec de la symétrie dans l'unité nationale unilatérale dans l'harmonie de la symphonie cosmopolite... je sais pas trop comment arriver à mettre ensemble les mots qui achèveraient le tableau. Tout ce que je sais, c'est que tout est à refaire.

Le monologuiste s'était tu. Mais les autres avaient continué à écouter, comme s'ils cherchaient à ramasser puis mettre ensemble les morceaux du puzzle et refaire le tapis.

Raphaël quitta les rails de la voie ferrée et cria aux goélands :
… et le monde s'a mis à mal tourner, tourner en rond, tourner sens dessus dessous, tourner autour du pot… et à force de tourner autour et de le virer à l'envers pis à l'endroit, on a fini par le casser. Et asteur on est pogné à ramasser les pots et les mots cassés et recommencer le puzzle à zéro. Zéro je retiens rien.
Rapidement il se mit à descendre vers le Bas-de-la-traque en se répétant la phrase sortie à cru du cerveau d'un retardé :
… Quand un sourd parle, c'est l'entendant qu'entend pas.
… et il se dit qu'un jour, faudrait bien que le théâtre sorte de la shed et grimpe jusqu'à la colline derrière l'église, où se dressait, tel un capitole, la majestueuse salle paroissiale.

La salle avait l'âge de l'église. Mais contrairement à la maison de Dieu, construite en pierres taillées, la maison des paroissiens était en bois. D'un blanc scintillant sous le soleil, solide sur ses murs de fondation, et coiffée d'un toit à pignons, elle en imposait par sa taille capable d'accueillir trois à quatre cents personnes assises, sans compter les badauds qui flânaient volontiers dans les allées et les enfants qui grimpaient sur les poutres. Une salle qui avait reçu des prélats, des hommes politiques, des célébrités, des délégations venues des quatre coins du pays, voire des Français de France dans la suite du comte de Caix, l'indéfectible défendeur de la cause acadienne.

Raphaël ne sut expliquer à Ludovic le sens exact de la « cause », à cause précisément de l'ambiguïté du terme. Mais il flairait qu'un peuple de déportés avait dû écrire des pages de ses annales à l'encre délébile que le temps avait sitôt effacées. Pas de quoi en faire un procès à l'Histoire avec un grand H, tout de même, la petite histoire s'étant chargée de rattraper au vol la mémoire volante, puis de se la passer oralement d'ancêtre en aïeul, en père, en fils, en rejeton, transformant les mots en dires et en images qui fondèrent la véritable chronique du pays.

Le jeune héros gonfla son torse, qu'il avait si malingre, et songea aux raisons cachées et visionnaires de Dieudonné qui envoyait son fils, à des milliers de milles plus haut, rejoindre les descendants des fondateurs du pays.

… Et la cause ?

— Pas besoin de cause. Survivre et vivre devraient nous suffire.

… Rassembler un peuple dispersé, c'est pas une cause ?

— Es-tu en train de me donner une leçon ?

… … !

— C'est ben, frérot, remplace le père, je vois ben que t'en as envie. Qu'est-ce t'essayes de me dire, Ludovic ?

… Une salle de trois quatre cents places… une délégation sortie de Louisiane en visite chez les cousins qu'ils ont pas vus depuis deux siècles… Dieudonné-le-prophète qui charge son garçon de suivre son destin…

Et Raphaël enchaîne mentalement… un destin qui l'a promené de cirque en voyagements en aboutissement en terre ancestrale où il reçoit les clefs de la salle paroissiale de trois quatre cents places pour présenter un spectacle d'accueil aux descendants des ancêtres dispersés en lointaine terre d'Amérique.

Il s'attrape la tête, voudrait sauter au cou de Ludovic !

Tout devenait clair, une éloize venait de lui ouvrir le crâne et lui allumer le cerveau. Il devait bâtir un spectacle complet. De la musique pour égayer les cœurs et dégourdir les pieds, des décorations pour rehausser le prestige des lieux, puis une histoire, l'histoire vraie, revue et corrigée et augmentée et farcie de drôlerie, de fantaisie, de fantasmes.

Raphaël astiqua ses ailes et cria à son patron d'archange :

— À nous deux, Raphaël !

Puis il se ressaisit :

— À nous trois, Ludovic.

Moins de quarante jours pour séduire le vicaire, déjouer le curé, rassembler les meilleurs éléments des gens d'En-haut, époulier et dresser ceux d'En-bas, choisir la musique, confectionner costumes et décors, bâtir un spectacle mi-cirque, mi-*pageant*, mi-autre chose et qui raconterait l'âme d'un peuple dont l'existence même était mise en « cause ». Et le maître d'œuvre de ce projet gigantesque n'avait pas vingt ans.

Heureusement !

Car un homme d'âge et de raison n'aurait pas eu l'idée de se mesurer à l'impossible, c'est la mère de la famille Charles à Charles qui le comprit et en estima d'autant plus le courage et le génie précoce de l'orphelin prodige. Quarante jours parsemés de tant d'embûches que seul un inconscient surdoué pouvait s'y attaquer, le cœur gonflé à bloc ; seul un jeune archange tombé du ciel mais se souvenant d'un avant-le-temps des hommes pourrait foncer sans regarder en arrière... Et elle l'appela de la galerie de sa maison.

— Viens, mon garçon, on va te ragorner des coupons d'indienne et des laizes de vieux rideaux. Puis des restants de peinture et de chaux pour chauler les murs de la scène... Connais-tu au moins les couleurs de l'histoire que tu vas raconter?

— Toutes les couleurs du pays! que s'exclame Raphaël.

Et il recompose la palette des bleus de la mer et du firmament, du jaune des champs, des cinq six verts des bois, en plus de la gamme complète des ocres, rouilles et bruns qui animera la parade d'un peuple en mouvement, qui se scinde, s'éparpille, se disperse, se cherche, puis se rejoint, le temps d'une fête où toutes les folies explosent, où les sanglots sont des larmes de joie, les rires des peurs transposées, les histoires des rêves aboutis.

Raphaël n'avait pas un jour à perdre, il lui fallait la collaboration de tout le monde, son monde et celui des autres, des deux côtés de la traque et d'encore plus haut, le soutien du presbytère et du couvent.

Le couvent était un pensionnat de filles. Filles bien élevées pour la plupart, quoique... De toute façon, Raphaël ne cherchait pas les beaux gestes ni les belles voix, mais les voix sûres et justes, les gestes vrais, sans emphase ni ostentation. Ce parti pris pour la justesse du ton faillit lui coûter des appuis essentiels, non pas du côté des pensionnaires, toutes amoureuses du théâtre ou du comédien saltimbanque, mais des religieuses, en particulier de la sœur Adorata. Jusqu'à l'arrivée de ce trublion en culotte bouffante et casquette sur l'oreille et aux visions théâtrales qui ne correspondaient en rien aux siennes, la sœur spécialiste de la scène annuelle de fin d'année scolaire était seule habilitée à choisir les pièces, un mélodrame et une comédie, et à les monter dans la plus stricte tradition du théâtre amateur à connotation religieuse ou patriotique, ou les deux de préférence, et toujours avec une morale à la portée des jeunes filles de bonnes familles. Pour Raphaël, toutes les familles du Haut-de-la-traque étaient classées bonnes familles, et ça, de quelque village qu'on vienne. Donc les pensionnaires parlaient un français correct et avaient pour la plupart une taille avenante et un visage à l'équipollent. C'est plutôt du ton de la voix que surgit la discorde entre les deux visions du théâtre : celle de la religieuse qui perlait ses phrases et celle de Raphaël qui les parlait. La dispute atteignit le bureau de la directrice, puis de la supérieure, puis de Monseigneur le curé.

Premier saut à obstacle de Raphaël qui faillit y laisser la moitié de son âme.

Heureusement, il lui restait l'autre moitié, son âme rusée.

Il proposa un compromis. On confierait aux couventines la partie la plus distinguée du spectacle, le chant choral et les danses folkloriques, et on réserverait aux nées natives du village le jeu dramatique et la comédie. Le curé souriait déjà de satisfaction devant la bonne volonté de son protégé, la sœur savourait sa victoire tout en flairant la mauvaise affaire, mais le tollé vint d'un seul cri du chœur des jeunes filles en fleurs.

Pas question ! Elles seules étaient formées au théâtre, elles seules depuis des années avaient appris à susurrer des textes de maîtres, la bouche en bouton de rose, les yeux en point d'interrogation, accentuant chaque syllabe et prononçant toutes les lettresses. On n'allait pas leur passer par-dessus la tête pour confier le rôle à des frustes qui n'auraient pas su prononcer

« la chemise de l'archiduchesse » sans chuinter ou s'accrocher la langue dans les dents.

Raphaël sortit de cette échauffourée la chevelure en bataille mais le cœur en joie. Il venait de voir la lumière. Il cligna de l'œil à son archange. C'était donc ça le drame de son peuple qui cherchait à rattraper son histoire ? L'histoire perdue en cours de siècles, puis retrouvée par bribes, rapiécée, recousue, transformée, qui souvent mettait la charrue devant les bœufs ou déshabillait saint Pierre pour habiller saint Paul. Un peuple héritier en droite ligne de la parade des fous qui jouaient les rois, de ces clowns qui réinventaient la roue, de ce combat éternel entre le loup Isengrin et le goupil dit Renart, ce peuple qui gardait en mémoire les légendes et contes des temps préhistoriques et des centaines de mots que d'autres avaient oubliés, voilà qu'il s'imaginait devoir se tordre la langue pour accentuer chaque syllabe et prononcer toutes les lettresses !

Le temps pressait. Il lui fallait la science du vicaire qui avait étudié les classiques, le concours des douzaines de violoneux et joueurs de bombarde et de musique à bouche, l'aide d'Anne et de Clara aux voix de cristal. Il lui fallait convaincre le clan l'Orignal, au moins la bande à Boy à Polyte, de se joindre aux étudiants sortis des collèges et aux demoiselles du couvent.
— Se joindre, ça veut-y dire…
— Ça veut dire ce que ça dit. « Joignez vilains, y vous poindront, pognez vilains y vous joindront. »
Raphaël courut chercher ses *Morceaux choisis*.
Oignez vilain, il vous poindra,
Poignez vilain, il vous oindra.
La vieille Ozite s'était écartée de peu de l'original. Pas si mal en quatre siècles. Mais ça, Raphaël ne le

savait pas. Il ne pouvait dater les pièces de son puzzle de connaissances. Si seulement son père avait été là !

C'est en voulant ressusciter le visage de son père, l'autodidacte quasi inépuisable, que Raphaël sentit un malaise à la hauteur des tripes. Ou de l'estomac, peut-être du foie, il était un parfait ignorant de cette science-là ; vous lui auriez parlé du pancréas qu'il l'eût situé n'importe où entre la gorge et les rognons. Mais sa douleur débordait son ventre, envahissait son âme, une crampe à l'âme, voilà ce qu'il ressentait. Et son œil se mit à fouiller chaque fente dans les nuages, le moindre pli dans le temps, puis fut distrait par Peigne qui lui amenait du renfort.

— La Piroune et la Catoune sont championnes de danse à claquettes.

Il oublia son malaise et s'occupa des nouvelles recrues.

Trois semaines plus tard, il apprit par une gazette française publiée en Nouvelle-Angleterre le décès de Dieudonné Belliveau, natif du Grand-Petit-Havre, exilé aux États-Unis avant la Grande Guerre, veuf et laissant dans le deuil un seul fils du nom de Raphaël.

Raphaël et Ludovic entreprirent de se consoler mutuellement.

— Un seul fils... C'est pas lui qui t'a renié, Ludovic, c'est la gazette qui pouvait pas savoir.

... Lui non plus pouvait pas savoir.

— Arrête ! Tu sais comme moi que je t'ai pas inventé tout seul.

... T'en fais pas pour moi, c'est pas parce que lui a bâsi que...

— Il a point bâsi, il est mort, Ludovic, tu comprends ? Mort pour l'éternité.

Et il ravale le motton qui lui bloque la gorge.

— Parti pour l'éternité. Tu trouves pas que ça fait drôle?

… Parti pour l'éternité, comme si on disait parti pour la gloire, parti pour l'armée…

— Parti prendre un coup.

… Hi, hi!

— Tu ris, frère sans cœur?

… C'est pas moi, c'est lui.

— Pas moi, c'est lui. Tu te souviens? C'était ma seule arme de défense à trois ans.

… Et lui est devenu moi, est devenu Ludovic.

— C'est le cas de dire que t'es né d'une impossible menterie.

… Pantoute, dans une colossale invention, création…

— La première, la plus… la plus… et pis *bullshit!* HI, HI, HI, HI, HI…

— As-tu entendu de quoi?

… Écoute.

Les deux se taisent. Raphaël garde longtemps les yeux rivés sur un petit nuage rose et gris, égaré, et qui n'a pas l'air de vouloir se raccrocher aux autres.

— C'est bien, qu'il finit par dire en prononçant toutes les lettresses, je me souviendrai, j'irai jusques au bout, les pieds dans les pistes de c'te sacré destin que tu m'as inventé… réponds pas… le destin que tu m'as baillé en cadeau de naissance pour remplacer ma mère.

Et pour la première fois depuis la nouvelle parue dans la gazette franco-américaine, il enfouit sa tête dans ses mains et pleure comme un enfant.

Raphaël tint parole. Il mena jusqu'au bout la première grande entreprise que lui confiait son père depuis que l'un et l'autre avaient atteint le bout de leur voyage respectif.

Il rassembla son équipe. D'abord son premier conseiller, le vicaire, qui leva les pans de sa soutane et troqua sa barrette pour le chapeau de chef scout. Il se chargerait d'embaucher des bénévoles pour former un comité des finances, composé du tout jeune directeur de la Caisse populaire et de l'assistant-gérant de la Banque Royale. Puis Raphaël choisit pour adjoint un fort en gueule fraîchement sorti du collège de Memramcook ; un décorateur, parmi les peintres en bâtiment communément appelés les peintureux ; plus une armada de jeunes sortis des écoles ou aveindus des sheds de Happy Town. Enfin la troupe s'embellit de la présence d'Anne, Clara et autres volontaires, pour les premiers et seconds rôles, bientôt envahies par une demi-douzaine de dames patronnesses qui se chamaillaient pour jouer les maquilleuses, habilleuses et placières. Une bonne moitié du village en somme était mobilisé, engraissé, enjolivé pour créer un événement dont les annales de l'Acadie du nord et de la Louisiane du sud devaient se souvenir.

Les répétitions allaient bon train.

La Piroune et la Catoune dansaient des claquettes à faire sauter les nœuds du plancher. Peigne avait reçu dans le ventre le monologue que lui avait mis en bouche Raphaël. Boy à Polyte, tête encornée, cul en queue-de-cochon et les yeux allumés de deux minuscules projecteurs sous le masque, fonçait dans la diablerie à quatre en hurlant des jurons à épeurer les bœufs. Tout cela pour la rigolade et la détente en attendant les scènes grandioses ou poétiques qui raconteraient les mouvements d'un peuple en exil qui se cherchait une terre d'accueil.

La mémoire collective du pays des côtes devait garder intact et jusque dans les moindres détails l'événement de la décennie, et sans avoir à recourir aux annales. Raphaël et surtout Monseigneur devaient garder, l'un dans le cœur et l'autre dans la gorge, le souvenir de la fameuse Fête des Louisianais.

Les célébrations durèrent trois jours, pour s'achever le soir du 15 août, ç'allait de soi, le jour de la fête patronale des Acadiens depuis 1881. Les parades de chars allégoriques sur terre suivaient les processions des bateaux sur la baie ; les réceptions officielles succédaient aux privées ; les discours politiques venaient interrompre les allocutions religieuses ; les jeux de croquet ou de baseball opposaient les camps du village des Collette, de Saint-Maurice, de la butte du Moulin et de la rivière à Hache ; les combats de coqs, où les figurants étaient nuls autres que Noume empanaché et Boy à Polyte emplumé, se terminaient en véritable jeu de chiens ; les femmes servaient à boire, les hommes buvaient, les jeunes dansaient, les vieux tapaient du pied et se tapaient dans les mains ; et pour finir, les enfants de tout rang, enivrés par l'air de la fête, couraient entre les jambes de tout le monde, y compris des distingués visiteurs venus des villages voisins accueillir officiellement leurs cousins de la lointaine Louisiane.

Rendus au soir du 15 août, les hôtes qui accueillaient et ceux qui étaient accueillis, fondus, confondus, tous héritiers des mêmes noms d'Arseneault, Boudreau, Thibodeau, Léger, LeBlanc, Cormier, Richard, Landry... la liste était longue comme les années qui les séparaient... en ce soir du 15 août, les cousins s'agglutinèrent aux portes doubles de la salle paroissiale parée comme pour des noces. L'atmosphère était dense comme un brouillard d'automne. La foule, impatiente, se bousculait. Puis s'amena la Ligue du Sacré-Cœur, qui entreprit d'ajouter des chaises pour faire de la place aux autres, mais les échevins ne l'entendirent pas de cette oreille-là et établirent tout de suite leur autorité : le nombre de places était fixe et...

— C'est la fête à tout le monde, personne restera dehors !

Qui a crié ?

Peu importe, faites de la place. On se tasse, se serre, se coince. Un tel se plaint qu'on lui a écrasé le pied, une autre qu'on lui vole la moitié de sa chaise, un autre... Mais personne n'écoute les lamentations des spectateurs, les rideaux viennent de s'ouvrir.

Les respirations s'arrêtent.

On ouvre les yeux et tend l'oreille. Un début tout en douceur. Le débit est lent, la voix en sourdine, les mouvements en ombres chinoises. Puis les acteurs entrent en scène, des quatre coins de l'estrade, en costumes fabriqués de laizes d'étoffe de toutes les couleurs, et se mettent à bouger sous l'éclairage de quelques lampes à l'huile que des acolytes promènent en marchant sur les pieds des dignitaires des premiers rangs. Mais les dignitaires sont discrets, retirent leurs pieds sous leurs sièges et rehaussent la tête pour ne rien perdre du spectacle. Car déjà la séance s'est transformée en histoire vraie, ou vraisemblable, l'histoire que chacun reconnaît pour la sienne, on parle de lui, de Pierre, Jean, Jacques, Marie ou Catherine.

Même pas d'Évangéline, non, cette histoire-là n'est plus la leur, elle appartient à la légende consacrée et enseignée dans les écoles.

Remue-ménage dans la coulisse. Un beuglement étouffé, suivi d'un bêlement. Puis Peigne apparaît, chaussé de sabots et coiffé d'un chapeau pointu, en tirant les laisses d'une génisse et d'un chevreau.

— Aaaaah !

L'attention de la foule est acquise, Raphaël a gagné son pari.

Reste à Peigne à amadouer ses bêtes qui n'ont pas l'habitude de la foule et ont l'air de chercher leur mère. Mais Peigne était prévenu et leur sert entre les dents de quoi les calmer.

Puis apparaissent deux gaillards attachés aux menoires d'un chariot qui, vu de la salle, a presque l'allure d'une charrette. Jusque-là, tout se déroule comme le maître de scène l'a prévu, à l'exception du jeu de Peigne qui, voulant ramener ses bêtes à la raison, court d'un coin à l'autre pour tenter de les garder dans l'arène. Ses apprentis sont censés jouer les bœufs, mais ne le savent pas. Et Peigne a beau les raisonner, le veau et la chèvre refusent d'entrer entre les menoires et gigotent comme les nourrissons qu'ils sont. On finit pourtant par faire semblant de les amarrer à la charrette et leur faire traverser les planches sans anicroches.

Petit à petit les dialogues s'enchaînent, le public suit, comprend qu'un peuple est en route vers la terre promise, qu'une femme en jupe bouffante, corsage et bonnet de dentelle, jouée et chantée par la soprano dramatique Clara, prend les devants et se prépare à réaliser le rêve d'un peuple en exil depuis quinze ans… mais son rêve est soudainement interrompu par le beuglement du veau suivi du chevrotement de son comparse qui déclenchent les rires de la foule.

Malgré lui, Raphaël vient de gagner son second pari.

Car ce créateur précoce qui avait parié de faire rire et pleurer, d'éblouir, de divertir et d'émouvoir les descendants des grands maîtres qui lui avaient légué les *Morceaux choisis* ne pouvait se douter que le rire viendrait plus tôt que prévu et serait provoqué par deux bêtes dont les noms ne figuraient même pas à l'affiche. De plus, que ces figurants se permettraient d'improviser, de déborder leur rôle, la chèvre en grignotant les franges du rideau de scène, le veau en levant la queue pour se vider les boyaux aux pieds du capitaine Belliveau en train de sonner du cor.

La foule hurle et se tient les côtes, quelques dames au premier rang se pincent le nez, le vicaire ne sait plus s'il doit rire ou pleurer. Raphaël comprend qu'il doit agir vite. Ou il laisse deux animaux de ferme s'emparer de la scène et changer le cours de l'histoire, ou il revêt son costume d'Arlequin et refait lui-même l'histoire à mesure que se présentent les imprévus. Son instinct est bon. En grimpant dans les rideaux, il lève des yeux implorants pour se mettre sous la protection de Scapin, Jocrisse et feu son père Dieudonné. Puis dans un saut périlleux, et en visant juste, il atterrit dans l'arène en plein dans le cadeau fumeux du veau. Et pour achever sa consécration d'homme de théâtre, il crache le mot de la chance en criant Merde!… puis se roulant par terre, il mime le clown qui montre au public son visage éploré et pavoisé de bouse.

Il a changé à l'improviste le cours de l'histoire, comme le résumera le lendemain un scribouilleur amateur qui écrira dans une gazette locale : « Jamais je n'ai tant ri qu'en voyant un peuple d'exilés changer de parcours pour éviter de marcher dans de la marde de veau. »

La suite du spectacle prenait une tournure que la troupe n'avait aucunement prévue, mais se dirigeait pourtant vers le but final, en s'ajustant, improvisant, réussissant à faire pleurer Clémentine devant les amours contrariées de jeunes déportés. On finissait par atteindre la frontière et rentrer au pays, épuisés mais déterminés à retrouver ses terres. L'essentiel était sauf, on était rendu, ne restait plus qu'à se rebâtir. Et c'est au moment où l'on entendit les premiers coups de hache de Madeleine, l'héroïne légendaire qui montrait à ses frères comment abattre un arbre, que...

... que l'on sentit les premières oscillations.

— Qu'est-ce que c'est?

— La terre grouille.

— La place!... la place cale!

— Bougez pas, personne...

— Sortez! Sortez!

Et ce fut la débandade.

Le plus spectaculaire événement de l'entre-deux-guerres qui marqua le Grand-Petit-Havre peut se rapporter d'autant de façons qu'il existe de rapporteurs :

Certains parleront de morts et de blessés, qu'on n'identifia jamais, puisque personne ne manqua à l'appel et qu'on ne compta d'autres meurtris ou éclopés qu'un enfant qui saignait du nez et la Veuve à Calixte qui piqua une crise de nerfs.

Nombreux sont ceux qui raconteront leurs peurs d'une catastrophe anticipée qui ne dépassera pas leur anticipation.

D'autres y sentiront si bien la main vengeresse de Dieu qu'ils verront s'ouvrir les portes de l'enfer paré à engloutir les coupables... qu'on n'arrivait pas à nommer par leur nom.

Quelques-uns seulement reprocheront à Monseigneur, avec raison mais en secret, d'avoir négligé de consolider les fondations de la salle.

Un seul blâmera tout haut Raphaël et ses animaux de cirque partis en peur.

Quand le récit atteindra les buttes de Sainte-Marie, la meute des cochons, des vaches et des moutons se sera sauvée par les châssis; et quand il atteindra les marais du Fond de la baie, la meute se sera creusé des trous dans la cave.

Que dire quand le conte atterrira à Memramcook!

Mais fions-nous à un témoin qui vécut l'événement, dans l'épouvante mais sans jamais perdre espoir de s'en sortir, une enfant de cinq ou six ans qui avait assisté au spectacle sur les genoux de sa mère, ou à certains moments à califourchon sur les épaules de son père pour ne rien manquer. Elle se souvient avoir pleuré de rire devant les pitreries des clowns, avoir pleuré tout court devant la mort en route du vieil ancêtre qui n'atteindrait jamais le pays. Puis elle se souvient avoir senti le plancher vaciller, entendu les cris de la foule, s'être décrochée de la main de sa mère… puis plus rien, un blanc qui dure ce que dure un blanc de cerveau épeuré, puis un bruit sourd d'une foule opaque en délire, puis un pied qui lui frôle le cou, un bras qui la soulève de terre, l'emporte, la passe de bras en bras à ceux de sa mère qui huche: Par ici!!

… C'est ben, chut… c'est fini, fini…

Finie la séance. L'un des plus beaux moments de sa vie. Et l'un des plus terrifiants.

Raphaël de même venait de vivre son baptême du feu.

C'est le vicaire qui fut chargé, encore un coup, d'éteindre l'incendie.

Monseigneur qui avait vu les splendides célébrations tourner à la catastrophe à la dernière minute…

… foirer, songea le vicaire…

… juste avant sa montée sur l'estrade pour le discours final où il devait si bien tourner ses compliments aux Louisianais, les Louisianais prétexte des retrouvailles d'un peuple, et cetera… Monseigneur ne savait plus sur qui cracher sa bile, quand il aperçut par sa fenêtre biseautée sa chèvre dans le clos. Sitôt il remonta au berger Peigne, puis au pitre Raphaël, le maître d'œuvre et éternel responsable des fléaux qui frappaient sa paroisse depuis quatre ou cinq ans. Quel souvenir du Grand-Petit-Havre allait garder la délégation louisianaise sortie à l'épouvante d'une salle décorée avec tant de soins et bâtie sur le roc...

... bâtie sur de la glaise, rectifie en silence le vicaire...

... qu'avait-on besoin d'introduire un troupeau de veaux, vaches, cochons sur une scène destinée à raconter la grande marche d'un peuple en quête des paradis perdus !

Durant ce temps-là, Raphaël faisait écho aux mercuriales du curé avec son lamento personnel pour les seules oreilles de Peigne, pleurait la scène finale que personne ne verrait jamais, l'apothéose d'un peuple qui à la frontière du sol natal tend déjà les bras vers son destin, quand le sol bouge, bouge pour vrai, et c'est la catastrophe. Sauve qui peut !

— Tu te rends compte, Peigne ? À l'heure exacte, à l'instant même d'aboutir, le diable s'en mêle, met le feu aux poudres et fait caler le plancher.

— Et le monde qui devit rentrer chus eux ramasse ses jambes pis prend par la porte, qu'enchaîne Peigne.

Les deux histrions restent un temps à califourchon sur la clôture de lices, oscillant entre la nostalgie et le désespoir. Un désespoir qui passe du noir le plus sombre au noir hésitant, au brun, au rouille, à l'ocre, au jaune... jaune soleil... soleil de midi... lumière qui éblouit l'archange et fait calouetter son acolyte...

— Ma... Mar... Marguerite à Yutte ! hurle Raphaël.

Suivie de Jos Sullivan, plus un cou raide de la délégation de la baie Sainte-Marie, trois émissaires néo-écossais qui venaient de la part de leurs concitoyens accueillir en Acadie du nord la parenté de l'Acadie du sud. Raphaël bondit, puis renifle, puis se plante le nez dans le creux du coude et enfin saute au cou de Sullivan en même temps que dans les bras de Marguerite à Yutte qui chiale comme une demeurée.

Nul besoin de raconter la scène. La boucle était bouclée. Raphaël se trémoussait comme si, sans prendre son respir, il avait vidé le plus vieux cognac de Monseigneur. Les dieux qui lui clignaient de l'œil, du haut d'un nuage qui avait guidé ces amis de la baie Sainte-Marie à la grande petite baie du Havre, venaient lui dire que tout n'était pas perdu. Le bagou de Marguerite à Yutte, entrecoupé des hé-hé-hé! et des hochements de Sullivan, prolongé de l'interminable exposé de l'inspecteur, ces florilèges plus doux que ses *Morceaux choisis*, achevèrent de ramener sur terre l'archange maître de scène… que des millénaires plus tôt ces mêmes sauveteurs avaient rescapé des eaux de la baie de Fundy. On l'arrachait une seconde fois au naufrage pour le remettre sur le chemin de sa destinée.

Raphaël écoute pérorer l'inspecteur, voit sourire le vieux marinier et se moucher la matrone. Il avale sa salive. Puis bouche ses oreilles et ferme les yeux. Lentement il laisse se dilater son âme, il laisse la bride sur le cou à… il laisse divaguer Ludovic, prédire Dieudonné.

— Hey!

Il ferme les poings et plante le nez dans le ciel :

… La catastrophe finale, c'était donc ça? un cataclysme qui fait revoler en morceaux le drame historique pour le garrocher dans la grande tragédie? le spectacle farci de drôleries et de féeries et de retailles de rêves impossibles et de mémoire racontée, c'était donc par son étrange finale envoyée du ciel qu'il faisait entrer leur histoire dans le mythe?

Quand vint l'heure du départ des Louisianais et des Acadiens de la Nouvelle-Écosse, Raphaël crut assister au dernier acte du Grand Dérangement. Il regardait Monseigneur et le vicaire, les notables d'En-haut et les autres d'En-bas, les bonnes gens, les braves gens, les gens de tout acabit et de toutes conditions qui saluaient des bras, des yeux, à coups de vivats! et de hourras! et de...

— Revenez nous voir!

— Vous serez comme chez vous!

— À la revoyure!

... et le héros qui venait de renouer avec son destin fit le geste de relever ses manches.

— À tes ordres, Dieudonné!

Il entendit le gloussement de Ludovic et lui passa la main dans les cheveux.

4

LE VOL DE L'ALBATROS

Le curé Théophile est un grand seigneur. Il nomme poule au pot le fricot au poulet que lui sert chaque dimanche Clémentine, la servante qui doit nouer sur ses hanches un demi-tablier blanc pour servir à table quand Monseigneur reçoit. Et Monseigneur est de tous les curés du diocèse celui qui reçoit le plus souvent et le meilleur monde. Des députés et sénateurs, des Français de France, des inspecteurs, recenseurs, commissaires royaux, ethnologues ou antiquaires en quête des trésors cachés dans les greniers des logis ou au creux des mémoires plus que centenaires. Il en impose à ses confrères pourtant sortis du même grand séminaire et à peu près dans les mêmes années que lui. Mais le curé Théophile parle un français châtié, un anglais sans accent, et réussit mieux que personne à parsemer les deux langues vernaculaires de phrases ou de mots latins qui lui donnent à tout coup l'air de rentrer du Vatican. Tout le monde reconnaît dans ce prélat de grande taille et de fière allure le délégué naturel de l'Église représentante de Dieu sur terre.

Presque tout le monde. Car en bas de la voie ferrée qui traverse le village, on continue de mener sa vie sans la soumettre, chaque dimanche ou premier vendredi du mois, à l'examen des épouilleux de conscience ou farfouilleurs dans la vie privée. Monseigneur ne s'en formalise point, considérant cette engeance comme une terre en friche que le temps… le temps dont lui-même ou ses successeurs auront besoin pour, pour… sa phrase est trop alambiquée, Monseigneur s'arrête. Son esprit se concentre, se fixe sur un seul, qui n'appartient ni à l'engeance d'En-bas, ni aux gens d'En-haut, qui se tient en dehors, qui est d'ailleurs.

Raphaël reste insaisissable.

Ça vient de Dieu ou du diable? Un mystère que Monseigneur ne saurait élucider parce que le survenant ne figure dans aucune colonne de sa théologie. Le phénomène lui file entre les doigts. Un rusé, habile, tête forte, libre et indépendant. Tenir tête, à cet âge? Le prêtre qui a su mettre à sa main les notables et commerçants de la place, quelques parvenus qui ont pignon au-dessus de leur galerie, les femmes bienfaitrices qui sont passées par le pensionnat, voilà qu'il se bute à la résistance de son bedeau, et ça l'enrage.

Il a pourtant eu maintes occasions de le prendre en défaut, dont la plus célèbre fut l'écroulement de son spectacle devant les Louisianais, un an plus tôt. Rien à faire, l'autre trouve la faille jusque dans le cataclysme et s'y glisse comme une anguille. Pire, le jour où il croit le vaincre par une généreuse attention, l'ingrat tourne son geste en dérision. Pourquoi? Qu'est-ce qui pousse le subalterne à lui résister?

Pendant que Monseigneur fait les cent pas dans son bureau, Raphaël, flânant dans le trèfle en haut du champ, éprouve l'étrange sentiment de voir le monde tout petit en bas. Il est fluet et sans le sou, n'a pas sa place à table, s'est instruit tout seul, mais on n'aura pas son âme. Un instant il est même tenté de mordre la main qui le nourrit. Qu'est-ce qu'il cherche? À venger tous les parias de tous les temps?

Il regarde voguer les nuages de plus en plus sombres, de plus en plus bas.

Le monde est petit petit, sa vie sera courte courte, il doit se hâter, tout allonger et agrandir. Souffler dans l'univers comme on gonfle un ballon, se gonfler lui-même à en perdre haleine, remodeler la terre. Mais il se sait malingre, le corps marqué par des années d'écurage de fonds de poubelles et de grelottement dans les hangars, les granges et les bagnoles abandonnées. Si c'était à refaire !

— Y serait-y encore temps de se rattraper, Ludovic ?... Ludovic !

... Réparer le passé ?

— Comment refaire ce qu'a déjà été fait, faire virer le temps de bord...

... Si tu peux pas gonfler le monde... essaye de...

— Gonfler l'instant présent ? !

... C'est ça.

— Arrêter sa vie d'avancer...

... La multiplier, la reproduire.

— Reproduire !

Il s'engotte dans sa salive.

— Faire des enfants ?

... Hé ! regarde-toi !

Raphaël préfère ne pas. Il fauche de ses espadrilles le trèfle à peine sorti de terre et poursuit son chemin qui mène en haut du haut du champ, c'est-à-dire nulle part. Et c'est rendu au pied de l'horizon qu'il s'arrête, se cogne le front à l'invisible et crie aux corneilles, aux goélands, à son frère imaginaire :

— On peut multiplier sa vie en autant de vies qu'on est capable d'en imaginer. Si on a pu te fabriquer, toi, Ludovic... non, regriche-toi pas, y en aura jamais d'autres comme toi, tu seras tout le temps le seul.

... Seul et unique, à ton image... à l'envers.

— C'est ben, j'ai compris. Pas besoin de grands mots.

… Les mots, je te laisse ça.

— Tu gardes la raison, je prends le cœur et la folle du logis. Notre partage d'héritage direct de Dieudonné qui nous a envoyés nous écarter dans les cent mille chemins de traverse de la vie, et qu'on a réussi à sauver, envers et contre la pluie et le beau temps, de la perdition.

… Sauver de la perdition, toi?

— Moi, avec mes *Morceaux choisis* pis un fonds de mémoire ancienne que Dieudonné, avant de me larguer, a déversé dans…

… Non, c'est pas lui.

— Pas lui?

… Ça vient d'ailleurs.

Raphaël s'était arrêté là. Il ne pouvait pousser plus avant son discours intérieur. Il lui fallait agir. Depuis le départ de Dieudonné, il était redevenu orphelin, doublement orphelin, découvrait en longueur, largeur et profondeur son orphelinitude.

— Tu entends ça, Peigne?

Peigne, où est Peigne? Il était sûr de l'avoir vu approcher, monter en zigzag comme d'accoutume pour éviter le train de fourmis qui charrie ses brindilles au creux du peuplier solitaire.

— Faut point éclapoutir les méres porteuses d'œufs, qu'il entendit juste derrière lui.

Peigne était de tous les êtres connus le plus inconnu, impromptu, invisible à l'œil nu. Il possédait l'art le plus rare de surgir du néant à l'instant où tu le cherches sans même savoir pourquoi. On a toujours besoin d'un Peigne pour s'écouter penser, songea Raphaël. Et il écarta les pieds pour laisser passer le train de fourmis.

— Tu sais ce qu'est un orphelin absolu?

— L'orphelin qu'a reçu l'absolution.

— No-on-on… rigola Raphaël.

Puis il se rétracta :

— Mais si fait, t'as raison, l'orphelin absolu est absous par tout le monde, libre, largué lousse. Plus de père et mère pour le commander, il est totalement, définitivement indépendant. Qu'est-ce tu dis de ça ?

Peigne se détourna de son maître et compagnon, regarda en bas de la butte du côté du pâté de cabanes dont l'une l'avait vu naître :

— Comme ça tu peux courir à ton aise, lousse, désenmarré, continuer tout seul à chercher ce que tu cherches.

L'archange se tut. Il avala un motton d'humeur aigre qui lui engluait la gorge et songea à l'éternelle course de Peigne, orphelin à vie.

— Tu sais, Peigne, personne et en même temps tout le monde est à peu près tout le temps tout seul.

L'orphelin de naissance cligna des yeux, ouvrit la bouche, puis la referma. Certains jours, Raphaël allongeait trop ses pas et avait trop d'avance sur lui.

Le soir même qui suivit leur argutie au sommet de la colline, les deux copains purent prendre toute la mesure de la distance qui les séparait. Curieusement, c'est Peigne qui sut le mieux mesurer la longueur d'avance de Raphaël sur le reste du village, voire du pays. Avec le flair du cheval et le museau du chien, l'orphelin treizième de la famille de douze pressentit le destin de l'archange égaré sur les côtes. Et sans savoir pourquoi ni comment s'y prendre, il enfouit au creux de sa conscience son objectif, sa visée, genre de résolution d'arracher toutes les mauvaises herbes, ronces ou lierres sauvages susceptibles de barrer les pieds de celui qui devait faire son chemin jusqu'au bout. Il n'en voyait pas plus, n'aurait pas su décrire ce bout-là, mais savait à coup sûr que Raphaël était chargé de mission et que lui, son disciple…

Il vit accourir le vicaire qui secouait les bras.

— Raphaël, Peigne !

Les inséparables furent les premiers à recevoir la nouvelle. Le reste du pays l'apprit moins de deux heures plus tard. Mais deux heures suffisent à ceux qui savent se placer en position de tête pour attraper la corde à virer le temps.

Voilà comment Raphaël et son fidèle Peigne le treizième s'introduisirent dans une troupe de théâtre du Québec en tournée dans les Maritimes.

La troupe de Tizoune, Balloune et Manda sillonnait les régions francophones qui débordaient la «province qui se souvient», en rappelant aux naufragés des bords de mer de ne pas oublier de se souvenir de leurs ancêtres. Ils étaient, comme leurs grands frères du Québec, bel et bien sortis de France eux aussi, sans doute plus tard et parvenus de provinces plus reculées, mais quand même débarqués en terre d'Amérique il y a trois siècles.

… Sortis plus tard, de provinces reculées… Raphaël leva l'œil gauche en quête du menu nuage fugitif pour interroger Dieudonné, mais se tut et laissa poursuivre le chef de la troupe qui ne se fit pas prier pour annoncer ses couleurs : des comédiens professionnels qui garantissaient à tous leurs cousins d'Acadie trois soirées consécutives de rire à se tordre les boyaux et de drames tragiques à faire pleurer les marguerites des champs.

… les saules pleureurs, rectifia mentalement Raphaël.

Ce pourquoi les professionnels auraient besoin d'une poignée de volontaires amateurs de théâtre, c'est-à-dire qui ont déjà goûté aux planches et aux projecteurs de la scène.

… l'éclairage au fanal ou à la lampe à l'huile.

On en vint finalement au fait. On cherchait un couple de figurants. Et c'est ainsi que Peigne et Raphaël aboutirent dans les coulisses de la salle paroissiale complètement rénovée depuis l'incident de l'été précédent.

— Ne craignez rien, qu'on les rassura, vous ne ferez que passer sur la scène, sans ouvrir la bouche, aucun texte à retenir par cœur.

… nous on improvise, poursuivit Raphaël en son for intérieur…

— De toute façon, si l'on vous mettait en bouche une phrase ou deux, votre accent est charmant. D'autant plus que le public d'ici vous comprendrait sans problème.

— Ça non, le problème viendrait de votre accent à vous.

Raphaël s'est entendu penser tout haut. Trop tard pour se rattraper. Il décida donc de donner à fond :

— Mais vous en faites pas, messieurs, on est accoutumés aux étranges, l'an dernier on a reçu la Louisiane qui parle un français encore plus vieux que çuy-là de Québec.

Tizoune et Balloune restèrent bouche bée… puis éclatèrent de rire. Ils venaient de trouver chaussure à leur pied.

D'ordinaire, les troupes ambulantes commencent par réchauffer le public avec la comédie, puis terminent en se lançant dans le mélodrame ou dans la tragédie. Mais pas le théâtre de Tizoune, Balloune et Manda, leurs noms les définissaient sans ambiguïté. Ceux-là gardaient leur atout pour la fin. D'abord le drame romanesque, pour faire pleurer Margot, puis finir avec leur carte maîtresse, la comédie. Comédie au registre très large : on passait du vaudeville à la farce à la bouffonnerie à la sotie, défendue par les meilleurs maîtres du genre. Raphaël comprit dès la répétition à qui il avait affaire. Pas du théâtre de sheds, pas de Boy à Polyte qui grimpe dans les rideaux, mais d'authentiques comédiens qui ajoutent à leur talent l'expérience et le métier.

La veille de la première, quand on avait appris que la salle serait comble, on s'était hâté d'ajouter des chaises au balcon qui d'ordinaire servait d'entrepôt. Jusque-là, pas de problème, le balcon était sécuritaire, bien planté sur ses colonnes de soutien. Raphaël lui-même avait inspecté les lieux, par prudence, et lors de son inspection, par pur hasard, avait posé le pied sur un piège à rat camouflé sous une draperie. Par bonheur le piège était rouillé et hors d'usage et le clown s'en était tiré sans autre blessure qu'une piqûre au cerveau… qui s'alluma, passa l'information à la folle du logis qui se mit en action et…
Attendons la suite.

Dans la première partie, les bons sont d'une bonté à faire pleurer les pierres tombales, les méchants d'une méchanceté à effrayer les pierres des champs, l'intrigue d'une complexité à donner envie que ça finisse, et que ça finisse bien et incarne le modèle du mélodrame des bons sentiments qui laisse Raphaël perplexe. Sans pouvoir le définir clairement, il sent le drame se noyer dans le mélo. Mais il n'en laisse rien paraître et décide d'entrer dans le jeu avec toute la conviction et le sérieux dont il est capable ou qu'on est en droit d'attendre de lui. Il a hâte cependant de voir venir le comique, là où les Tizoune et Balloune sauront, dans des pirouettes et mimiques infaillibles, mettre l'auditoire en joie.

Les premières scènes se déroulent comme prévu, les tours que joue Tizoune à Balloune se retournent contre lui puis rebondissent dans la salle pour revenir attraper de front Balloune… par-derrière. Plus la farce grossit, plus le spectacle s'enrichit de mille péripéties farfelues mais attendues par un public habitué aux rebondissements.

Tout à coup, quelqu'un de la salle chuchote le nom de Peigne qu'il vient de reconnaître sous sa peau de mouton. Le mot passe de chaise en chaise et d'allée en allée jusqu'à tomber par chance ou malchance dans l'oreille d'un sourd qui crie sans entendre sa propre voix :

— Qui ? qui c'est qui se cache sous sa peau ?

Le rire qui suit déstabilise Tizoune, mais pousse Peigne, par mille grimaces et gestes de la main, à tenter de calmer la foule. Quand Balloune veut récupérer les rires en se lançant dans une acrobatie qui n'était pas au programme, Raphaël voit le spectacle se déplacer et sent venir son heure. Le ciel lui offre enfin sa chance. Et voilà que les rideaux du fond s'ouvrent sur un cri de mort d'un Arlequin au nez rouge et souliers à la poulaine qui fait irruption sur scène, le pied coincé dans le piège à rat. La foule s'attrape la tête, la poitrine, puis reconnaît Raphaël qui envahit les planches dans une escalade de sauts périlleux, en cherchant désespérément à se soustraire à l'invasion des rats qui risquent d'infester la salle. Le mime vient d'entrer dans sa vraie peau. La scène de son combat avec la multitude des rats qui se préparent à déborder force le public à se recroqueviller et lever les jambes et crier… et finalement éclater d'un rire à faire résonner le plafond. C'est le moment que choisit le clown pour sauter par-dessus la rampe en agitant le pied coincé dans son piège et appeler :

— Y aurait-y un docteur ou un rabouteux dans la salle ?

La suite débouche dans une diablerie à quatre. Les deux professionnels de la troupe étrangère, qui au début ont tenté tant bien que mal de s'ajuster à l'impromptu de Raphaël, parviennent rapidement à rattraper son rythme, puis entrer dans son jeu. Et le jeu de l'Arlequin des côtes, qui n'ayant rien appris avait dû se réinventer à mesure, ce clown unique entraîne les comédiens professionnels dans une improvisation où l'imitation se substitue à la réalité et les acteurs à leurs personnages. Quand enfin apparaît l'unique femme de la compagnie qui vient ajouter à la farce sa note romanesque, la diablerie glisse dans la comédie de mœurs et fait pleurer l'auditoire.

Pour comble, la pièce totalement inédite s'achève sur le touchant tableau de Manda embrassant goulûment Peigne, qui ne devait pas s'en remettre de tout l'été.

Le lendemain, la troupe adopta la version Raphaël du spectacle qui connut son plus grand succès de la tournée. Le surlendemain, on déménageait les chaises et jouait en plein air pour accommoder Cocagne, Grand-Digue et Saint-Norbert. Trois jours plus tard, en partance pour la Nouvelle-Écosse, on proposait à Raphaël un contrat.

— T'es là, Ludovic ?
Silence.
— Je te parle.
… Tu perds ta crache.
— C'est comme ça que tu réponds à ton frère ? Ça serait-y que tu serais devenu jaloux, par adon ?
… …!
— Écoute. Ça sera rien qu'une tournée d'une semaine ou deux à la baie Sainte-Marie… Te rends-tu compte, Ludovic, la baie Sainte-Marie ! Revoir Jos

Sullivan, Marguerite à Yutte, la Badgeuleuse, tous les autres... et pis les poutines à trou, le pâté à la râpure, les légendes de Jérôme et de Saï Amateur... LUDOVIC!

... Crie pas! j'ai tout compris. Tout, tout compris. Compris que ta vie vient de frapper un nœud, la tête de plein front sus l'arbre, à la croisée des chemins. Un nouveau chemin s'ouvre à droite, tu t'embarques avec une troupe de théâtre, théâtre professionnel, en route pour la Nouvelle-Écosse, puis le reste du pays... le rêve!... Embarque-toi, vas-y, grand fou! Qu'est-ce t'attends? Pense à rien, embarque!

Raphaël s'attrape la tête. Il n'arrive plus à penser. Tout tourne autour de lui. Le carrousel démarre, il a juste le temps d'y sauter et de se laisser emporter. Ça tourne, tourne, le rideau se lève, les étoiles scintillent, le public se fige, attend, Arlequin entre en scène, il gesticule, grimace, prend son souffle, le public applaudit avant même qu'il n'ouvre la bouche. Il parle, mais aucun son ne sort de ses lèvres... il veut leur dire à tous que... qu'il a retrouvé son peuple égaré, retracé ses ancêtres perdus, qu'il est revenu, revenu de si loin... qu'il en oublie ses propres origines.

Le soir même, le vicaire entend à sa porte la pétarade de frappes saccadées, suivie des trois coups lents du brigadier de théâtre, et reconnaît le visiteur.

— Entre, Raphaël, c'est ouvert.

Il entre mais refuse de s'asseoir. La discussion sera courte, il n'aura qu'une faute à confesser. Et elle se résume à un mot, un seul: le destin se présente, sous une forme nouvelle, habillé différemment mais toujours le même destin, celui que lui destinait son père, et si quelqu'un s'y connaissait en la matière, c'était bien Dieudonné qui lui avait fait promettre de ne jamais refuser la chance qui passe, qui passera pas deux fois, attrape le hasard par le cou, laisse-toi emporter,

211

envole-toi, largue pas, vas-y, va... Il s'arrête, sous le sourire attendri du vicaire, son maître et confident, qui avoue :

— Pour un seul mot, c'est le plus long que j'ai jamais entendu.

Raphaël sourit à son tour, puis largue les amarres et rit à pleine gorge. Il aurait aussi bien pu brailler. En pareilles circonstances, le rire et les larmes s'entremêlent et se conjuguent : je braille, tu ris, il pleure, nous rions, vous pleurez... puis ils éclatent de rire en descendant ensemble deux octaves dans une cascade de demi-tons.

— Asteur reprenons notre souffle, conclut le prêtre en rigolant, et regardons c'te sacré destin en face.

Ils le regardent, l'envisagent, le tripotent une partie de la nuit. Puis aux aurores, Raphaël serre de toutes ses forces la main du vicaire, ramasse sa casquette et s'assure de lui relever le bec pour laisser ses yeux libres de bien voir apparaître le petit nuage rose sur lequel à cette heure-là ne manque jamais de s'asseoir Dieudonné, les pieds pendants et l'œil à pic.

Raphaël fila comme un chat directement à sa paillasse qui était passée du grenier à la chambre contiguë à celle de Clémentine depuis qu'il avait été promu premier bedeau, organiste en chef, maître de cérémonies officielles, organisateur de spectacles ou de fêtes populaires. Homme à tout faire, eût dit Monseigneur s'il eût osé, et il osait avant que son valet n'eût acquis des titres de noblesse que personne ne savait bien définir. Mais depuis le passage des Louisianais, encore davantage avec l'arrivée de la troupe de théâtre professionnel, le curé Théophile se montrait prudent, circonspect dans ses jugements, voire affable à ses heures. Raphaël n'était pas né de la dernière pluie et continuait de l'éviter.

Il se contenta ce matin-là de sonner l'angélus de six heures sans en rajouter, puis de se jeter sur son lit tout habillé. Quand Clémentine, inquiète – qu'il eût sauté la messe, passe, mais les crêpes et les œufs brouillés ! –, quand, inquiète, elle vint sur la pointe des pieds coller l'oreille à sa porte puis finir par la pousser en douce, elle le trouva couché sur le ventre, espadrilles aux pieds et casquette de travers, et elle poussa un cri. Elle le voyait pour la première fois de tout son long, les jambes enroulées l'une dans l'autre, les bras comme un Christ en croix, et qui semblait ne plus respirer. Elle n'osa le secouer, parla tout bas pour ne pas réveiller les morts, et s'attrapa la bouche quand il bougea la tête puis ouvrit les yeux.

— C'est toi, Clémentine ?

Il ricana, puis se hâta d'enchaîner pour la ramener sur la terre des vivants :

— Barre la porte, s'y fallait que Monseigneur nous trouve à traîner au lit si tard… !

Elle l'arracha d'un coup sec à son grabat et s'inventa un superbe courroux :

— C'est comme ça qu'on traite ses maîtres et bienfaiteurs, beau chenapan ! On est rendu asteur à gouailler, narguer le monde pis tourner en risée la vertu ?

Elle lui tourna le dos pour ne pas laisser voir son sourire naissant. Puis entre les dents, en sortant :

— J'ai laissé une couple de crêpes dans le réchaud, ben, va pas espérer de boire ton thé brûlant.

Pour la première fois de sa vie, de sa vie de vagabond au long cours, le héros en friche ne sentit pas la faim lui tirailler l'estomac à une heure si tardive. Il avait peu dormi, mais ce peu avait dû suffire à son cerveau et à son âme pour le ravigoter. Il sauta du lit, voulut s'habiller en vitesse, se rendit compte que c'était déjà fait, qu'il était tout froissé et puait comme un bootlegger en fuite. Il ne confia à personne sa longue traversée du désert ou lutte avec l'ange, ni à Peigne, ni à Ludovic, pas même à son père Dieudonné.

Si, il s'ouvrit à Dieudonné, par les petits, sans savoir qu'il mettait son âme à nu.

— Laisse-moi, Ludovic, j'ai à parler au père, tout seul.

… …?

— Dieudonné… Dieudonné…

Ça n'était pas facile d'entrer en dialogue avec son géniteur, mentor, maître à penser, maître à vie, le seul qu'il eût jamais, et au moment où l'autre n'était plus en position de répondre… Pas comme Ludovic qui se glissait sous sa peau effrontément… non, son père n'était pas son égal, ni sa créature, il avait existé avant lui, existé pour vrai, existait sans doute encore, même passé de l'autre bord, au moins en esprit… quelque part… quelque part…

… Tu bégayes.

— Qu'est-ce que je t'ai demandé, Ludovic !?

… Peuh !

— Je voudrais parler seul à Dieudonné. Lui au moins m'interrompra pas, me laissera lui dire, lui demander…

… Demander quoi?

— Comment? qui a répondu?

… Pas moi, c'est lui.

— Bon, ça recommence. C'est lui, c'est pas moi.

Raphaël sent son âme trembler, ne sait plus s'il doit rire ou s'enrager. Dieudonné et Ludovic de connivence? Vont-ils s'allier : pour ou contre lui? ou l'un pour, l'autre contre, s'échangeant les rôles, se jouant de lui? Barricadés l'un dans l'imaginaire, l'autre dans l'au-delà, s'emmaillotant dans le mystère, jusqu'à quand resteront-ils à portée de voix?

— Réponds-moi, Dieudonné, une seule fois, indique-moi seulement le chemin, juste un geste, soulève une branche du peuplier, par exemple, rien que pour me montrer le nord, le suroît... le sud, je saurai que c'est la baie Sainte-Marie. Souffle-moi une brise dans les cheveux... tiens, j'enlève mon casque, brouille-moi la tignasse, glisse-toi dans ma tête, pas même besoin de parler tout haut, j'ai pas besoin d'entendre, cogne directement à la porte de ma raison.

... Pas ta raison...

— Non? c'est ben... mon cœur, mes tripes...

... Comment t'as accoutume de les appeler?

— Mes instincts? mon intuition? Ça me dit que...

... Écoute ça.

— Ça... ça me dit que je dois essayer de rattraper... comment tu nommerais ça, Dieudonné? T'avais accoutume de dire que j'avais, qu'on a tous un destin. C'est vrai?

... Tu connais le tien.

— Çuy-là que t'as dessiné pour moi. Mais depuis, y s'a passé ben des affaires.

... T'entends? Tu parles encore ta langue.

— Es-tu en train de me dire que... Qu'est-ce t'es en train de me dire, défunt père?

... Réponds toi-même.

— Si je t'écoute, je connais la réponse. Ben, je me demandais... Ça se pourrait pas que là où t'es rendu asteur...

... Y a plus d'asteur...

— *Gee whizz!* en pleine face! Raison de plusse pour que ta réponse soit la bonne, celle qui vient direct d'En-haut. Écoute, le pére, je te demande pas de me dire ousque t'es exactement... ça, ça serait trop demander. Mais moi, je suis encore en bas pour un certain temps, peut-être un bon bout de temps, on sait jamais, ça fait qu'aide-moi juste à prendre le bon chemin, le chemin qui m'est destiné.

Silence.

… Oyons donc, girouette !

— Pas toi, Ludovic, c'est à lui que je parle.

… Et lui t'a répondu. Depuis le berceau.

Raphaël se tait. Plus rien. Les deux autres ont disparu. Il sait qu'il aura à prendre lui-même la décision de partir ou de rester. Son destin, il va le dessiner tout seul, lever le bras, ouvrir les doigts, s'emparer d'une craie imaginaire et tracer dans le ciel l'image de Raphaël, son archange, son double.

Les deux ou trois voitures de la troupe étaient chargées des décors, costumes et accessoires amarrés sur les toits, empaquetés dans les coffres, coincés entre les passagers qui se tassaient pour faire de la place à l'un de plus… qui ne vint pas.

Tizoune et Balloune ont vu le soleil sortir de la mer, monter dans le ciel de juillet, puis ont compris que Raphaël avait choisi son destin. Ils s'obstinèrent pour la forme :

— Je te l'avais dit.

— Le petit verrat rate la chance de sa vie.

— On s'en reparlera dans dix ans.

C'est Manda qui intervint :

— Dans dix ans, ça pourrait être lui qui parle de nous autres.

Et la troupe s'en fut en direction de la Nouvelle-Écosse en jetant un dernier coup d'œil à la salle paroissiale qui scintillait sous le soleil de midi. Tizoune, Balloune et Manda se doutaient bien que l'expérience du Grand-Petit-Havre ne pourrait se répéter dans chaque village qui jalonnait les côtes, que la rencontre avec un authentique Arlequin né de lui-même marquerait leur mémoire et s'inscrirait dans les annales de la tournée du théâtre québécois en terre voisine. Ce qu'ils ignoraient toutefois, c'est la profondeur de la marque que leur passage devait laisser dans la mémoire de ceux qui les avaient accueillis. Par-dessus tout, dans le cœur et les tripes de celui qui se chargerait de ranimer le feu qu'avaient allumé les comédiens professionnels.

Raphaël pouvait compter sur Peigne, il le savait; Boy à Polyte, il y verrait; Katchou et les Catoune, Pitoune ou autres Bessoune, peut-être, en épuisant jusqu'à la lie ses dons de ratoureux. Le reste, rien de moins sûr. Noume et son père l'Orignal n'avaient pas encore appris à distinguer le théâtre de leur propre vie et ne comprendraient jamais la nécessité de transposer ou sublimer une existence qui au départ n'avait à leurs yeux rien de sublime.

Il restait cependant ceux d'En-haut qu'avaient secoués d'abord l'odyssée des Louisianais, puis une année plus tard le débarquement de la troupe de Tizoune et Balloune. Raphaël n'avait pas oublié non plus l'intérêt dans les débuts de plusieurs d'entre eux pour le théâtre improvisé des sheds abandonnées. Comme les tournées de la Chandeleur, les caricatures de la Saint-Valentin, les noces endiablées, expositions agricoles ou pique-niques de paroisse, tout était prétexte à la fête populaire. Pour un Arlequin comme Raphaël, il ne restait qu'à jeter l'allumette dans le foin déjà mûr au bon endroit, au bon moment.

Le moment se trouva au bon endroit juste après le départ de la troupe professionnelle. C'était justement la saison des foins. Le Grand-Petit-Havre, comme son nom l'indique, dominait en taille et importance les petits ports de pêche qui l'encerclaient comme les douves d'un château fort. Une forteresse, comme on sait, traversée en son milieu par la voie ferrée qui partageait sa population en gens d'En-bas et gens d'En-haut. On connaît la physionomie de chacun, leurs rapports et rivalité. Mais au temps des foins, l'odeur, la chaleur, et «quelque diable l'y poussant», cette population semblait vouloir laisser tomber ses garde-à-vous pour savourer l'instant fugitif qui ne durait que... le temps des foins.

Tout le Grand-Petit-Havre se hâtait de sortir de ses frontières et courir les champs pour venir humer les meulons qu'au pays on nomme mulerons, et qui transformaient le paysage des campagnes environnantes en tableaux de Breughel ou de Millet. Ces jours-là, les Noume et Katchou oubliaient de tirer la langue aux Anne et Clara et collégiens de l'autre espèce pour se jeter dans les mulerons, se rouler dans le foin, jouer à bouchette-à-cachette sans reconnaître l'ennemi dans son adversaire. Le jeu qui pouvait aussi bien faire trébucher un fils de l'Orignal sur une fille du maître d'école qui se relevait aussitôt pour secouer sa jupe. Est-ce ce jour-là? ou le lendemain? Un certain jour du temps des foins, en tout cas, Peigne est venu tirer la manche de Raphaël pour lui indiquer du menton le muleron déjà pas mal ébouriffé où se tenaient côte à côte un collégien de Memramcook et l'une des Bessoune de Happy Town... qui avaient tout l'air d'échanger des restes d'angoisse métaphysique.

Raphaël reconnut le collégien : un Landry de grande famille... Au pays, toute famille dont les ramifications s'imbriquaient dans celles du docteur, du notaire, du marchand, du banquier, du maître d'école ou autre chapeau dur et col empesé du dimanche était classée grande famille. Il reconnut aussi la fille : une demi-sœur du troisième ou quatrième lit de la proche

218

rivale de Katchou, l'une de celles qui osaient lui tenir tête, puis réussissaient à s'en tirer sans autre accrochage qu'un échange de mots doux dans le style : Fripe-moi le cul ! Ni Katchou ni sa proche rivale ne soupçonnaient que leur échange rejoignait, après des siècles d'injures qualifiées, l'élégante expression de «faire la figue à quelqu'un». Seul Raphaël, par le truchement de ses *Morceaux choisis*, pouvait décortiquer la figure de style qui retraçait son origine jusqu'aux coulisses de la *Divine Comédie*.

— Qu'est-ce tu racontes ?

Le collégien en était estomaqué. Mais Raphaël le rassura. Les bons mots se répètent, se réinventent depuis que les langues existent. Quand il avait buté une première fois sur l'expression «faire la figue», ça l'avait amusé d'abord, puis intrigué, puis poussé à en fouiller le sens. Est-ce son père Dieudonné, ou Scapin, ou des bribes d'histoires ragornées dans le vieux livre qui l'avaient mis sur la piste ? Il se souvient de s'être engotté de rire quand il avait saisi la filiation entre le grossier *lécher le cul* et le distingué *faire la figue*.

— Écoute ça, François-Xavier, qu'il entreprit de raconter au collégien d'En-haut. Ça se passait des siècles avant que tes ancêtres ou les miens aient eu l'idée de défricher le Grand-Petit-Havre ou même le pays.

Le narrateur, devant la curiosité enthousiaste de son auditeur unique, bouchait les trous de sa mémoire en recréant l'histoire recueillie par miettes.

— Deux chefs de familles puissantes s'étaient chamaillés – ça devait être quelque part en Italie parce que leurs noms finissaient par o ou par i – et se préparaient à régler leur chicane dans le sang, comme ça se faisait dans le temps. Mais c'te fois-là, l'un eut l'idée de régler ça autrement.

Et Raphaël reconstruit à sa façon une histoire vraie, ou qui avait dû être vraie avant que le premier conteur la rapporte, et qui se termine dans le plus pur style de la farce grivoise de l'époque. Celui des deux combattants, le ratoureux qui avait eu l'idée de régler leur différend autrement, avait donc proposé de faire manger une figue à l'adversaire perdant, ce qui parut fort avantageux aux deux. Or il s'avéra que non, pour qui tient à l'honneur plus qu'à la vie : le malheureux vaincu fut forcé de la manger là où vous pensez, c'est-à-dire enfournée dans le postérieur du vainqueur. Et voilà comment le sens premier et oublié du « faire le coup de la figue » peut nous paraître aujourd'hui aussi innocent que la grimace ou le pied de nez.

François-Xavier comprit l'astuce de ce clown au nom d'archange, saisit même où il voulait en venir avec la filiation du lèche-cul à la figue, et il resta ébaubi devant le génie précoce de celui qui avait déjà commencé à transformer les couleurs du ciel qui auréolait le Grand-Petit-Havre. Si la langue grivoise de la rivale de Katchou plongeait ses racines jusque-là, si la mémoire ancestrale avait pu trouver refuge au Bas-de-la-traque…

— Où c'est que tu veux en venir, Raphaël ?

Raphaël sourit. Il ne le savait pas, mais savait que l'autre allait l'aider à s'y rendre.

C'est ainsi que le champ de foin vit naître cet été-là le premier conseil culturel de la paroisse. Improvisé mais suffisamment structuré pour attirer ceux qui fréquentaient le collège classique de Memramcook, ceux qui en étaient sortis, et toute une jeunesse qui rêvait d'y aller un jour. Sans compter les filles qui jouaient du piano et chantaient *Carmen* ou *La fille du régiment*. Et finalement le vicaire Richard qui commença par se faire discret puis finit par en accepter la présidence. Mais le véritable maître du jeu demeurait le bedeau officiel, de plus en plus officiel, de moins en moins bedeau. Car le curé avait bien dû reconnaître que le Raphaël...

— Celui-là a le diable au corps !

Il avait dû petit à petit lui céder les orgues, la décoration de l'église aux temps forts du calendrier liturgique, pire, l'organisation de la procession du Congrès eucharistique ! Il faut dire que ce dernier contrat n'avait pas répondu aux vœux de Raphaël qui eût de loin préféré consacrer son temps et son énergie au théâtre et à la musique. Mais le bouillant archange avait dû apprendre à ménager la chèvre et le chou, et face à Monseigneur, consentir à jouer le chou.

— Faire ses choux gras, avait ricané le vicaire, en lui donnant du poing dans la poitrine.

En attendant, Raphaël temporisait. Espérait. Consultait ses démons ou son archange tutélaire. De moins en moins faisait appel à Ludovic ou Dieudonné. Ceux-là étaient sa garde de réserve, ses valeurs sûres. Il savait d'instinct que le temps travaillait pour lui. Et pourtant, même en pleine effervescence du mois des foins, à l'heure où tous les vents flattaient sa peau dans le sens du poil, il lui arrivait parfois à l'aube de sentir sa crampe à la poitrine, le lancinement, la rage du doute. Il contemplait le ciel qui n'arrivait pas à décider dans quelle direction larguer son soleil, et il s'interrogeait. Avait-il fait tout ce trajet de l'exil vers la terre promise, traversé le désert durant cinq ou six ans, pour aboutir à monter des séances avec des collégiens blasés ?

Ça, Ludovic ne peut l'avaler.

... Des collégiens blasés ! des séances !

Raphaël s'attrape le ventre. Que se passait-il ? où était-il rendu ?

— C'est ben, Ludovic, le bilan, faisons le bilan. D'abord le cirque des romanichels, à quatorze ans, puis les séances de hangar à la Happy Town, puis la musique dans les bonnes maisons d'En-haut, le spectacle des Louisianais, Tizoune et Balloune, les vrais comédiens qui m'offraient ma chance, ma chance… puis retombé dans le théâtre de collège avec des filles de couvent…

… Katchou, une fille du couvent?

Raphaël en reste ébarroui. Ludovic, son *alter ego*, son meilleur-de-soi, est en train de le réveiller, de se substituer à son destin. Ne t'éloigne pas, Raphaël, tu as trouvé la traque, *tu es la traque*, parole de Peigne, le génial arriéré né en retard du temps.

Il cueille des gerbes de foin, les hume, puis les écrapoutille sous ses pieds. Le temps sera court, il faut faire vite, rassembler les deux bords de la traque, convaincre Katchou, les Catoune et Bessoune, Noume, Boy à Polyte et Peigne, les quêteux, chicaneux, brasseux de bière aux mères, cracheux dans la spitoune, les amener à traverser la traque, rejoindre François-Xavier, Anne, Clara et les autres sur les planches de la salle paroissiale.

— C'est ça que tu veux dire, Ludovic?

… Dans le foin, la Bessoune ne léchait pas le cul de François-Xavier.

— ? ? ?

… Au théâtre, la vie est plus la même, on monte en bas, descend en haut, rentre dehors, sort dedans, les bons sont perdants, les autres gagnent, l'avenir recule… la vraie vie est chambardée.

— Dans ce cas-là, on devrait pouvoir habiller Katchou en princesse.

… Trompe-toi pas! Fais juste de l'asseoir au-dessus des autres, et sa robe se chargera toute seule de changer de couleur.

Rien ne se fit tout seul. Raphaël le comprit dès sa première tentative. Autant il avait chambardé la farce de Tizoune et Balloune, autant les pitres des hangars abandonnés s'apprêtaient à transformer sa comédie en drame à faire pleurer Clémentine. Non, rien ne serait simple. La vraie vie prenait le dessus. Le théâtre était un jeu, la vie était un drame. L'instinct de Raphaël l'avertit juste à temps. Katchou ne pouvait jouer Katchou que dans sa cabane, pas sur les planches. C'est Boy à Polyte qui, sans le savoir, le fit comprendre à Raphaël.

— Dans ta séance, tu vas pas me greyer d'un capot pus guénillou que c'ti-là que je porte dans ma cabane !

Il consulta François-Xavier, puis le vicaire, puis Anne et Clara. Puis un midi, c'est la mère des Charles à Charles, qui avait été maîtresse d'école dans le temps, qui invita à table son protégé. On mangea de la soupe au devant-de-porte, un bouilli et de la tarte à la rhubarbe, on causa sans aborder le sujet qui brûlait la langue et l'estomac de l'homme de théâtre en déroute, puis on passa au piano. Mais ni Anne ni Raphaël n'avaient le cœur à la chanson. Raphaël pour les raisons que l'on sait. Anne pour d'autres raisons que l'on commençait à deviner. Le père passa en revue la vie du village qui avait subi de grands changements depuis la Grande Dépression.

— Depuis qu'il en est sorti, tu veux dire.

Le père regarde sa femme, puis acquiesce.

— On s'en sort, tranquillement pas vite. Mais il pend d'autres nuages à l'horizon.

Tous songent aux rumeurs venues d'Europe.

— Mais ça s'adonne que le Grand-Petit-Havre est à l'abric.

Le père reprend le fils cadet.

— À l'abri.

Raphaël réagit, mais se retient, le maître d'école a ses raisons de corriger la langue du rebelle. Abri… abric ?

Il va pourtant l'interroger sur l'origine de ce petit c à la fin de tant de mots de pays : nouc, moucle, nique…

— *Malbrouc s'en va-t-en guerre…* chante la mère pour faire diversion.

En fait, elle ne cherchait pas la diversion, mais l'élargissement du débat. Depuis quelque temps, elle soupçonne Raphaël de nager en eau trouble, de s'égarer dans son rêve trop grand pour la taille du pays, trop ambitieux, trop en avance sur son temps. Et pourtant, si quelqu'un continue à croire au destin de cet archange tombé du ciel, ne doute aucunement de ses dons, c'est bien cette femme au flair de mère poule prête à couver les œufs des autres.

— Tiens, qu'elle fait, Malbrouc, celui-là n'est pas venu chez nous, c'est pas nous qui l'avons nommé.

— Il s'appelait Malborough, reprend le père, et c'était un Anglais.

— N'empêche, le petit c ne vient pas d'ici, on l'a importé des temps anciens.

Et la discussion allait bifurquer, quand Raphaël saisit l'intention de la mère et l'attrapa au vol.

— Tout le pays a hérité de quelque chose qui vient de loin dans le temps, qu'il dit, tout le pays, les mieux nantis comme les anéantis. Parole de la vieille Ozite.

Et ce fut l'instant où l'on sentit le vent tourner.

Raphaël venait de toucher du doigt le vrai drame du village : tout le pays sortait de la même vieille France, du même Grand Dérangement, se partageait les noms de LeBlanc, Bastarache, Arseneault, Cormier, Duplessis, Goguen, Belliveau…

— Belliveau, y a des Belliveau chez eux ?

— Qui ça, eux ? demanda le père.

Au tour de Raphaël de rougir. Eux, les autres. Et lui, le Belliveau, le rapatrié, il était d'où ?

Il avait atterri au Grand-Petit-Havre, à l'automne 1930, sans connaître l'exact emplacement du logis ancestral, avait parcouru le village d'est en ouest et du nord au sud, fouillé ses entrailles, enjambé les traverses de la voie qui le coupait en deux quartiers bien définis, le haut et le bas. Par un coup de vent du hasard... mais le hasard n'existe pas, c'est Dieudonné qui le dit... par un coup d'aile de son archange tutélaire, il avait glissé sur les rails puis roulé au Bas-de-la-traque un jour qu'il n'avait rien vu venir. Et sa vie avait basculé. Comme si ses sens avaient reconnu dans cet amas de cabanes aux murs goudronnés et cheminées en tuyau de poêle la transplantation des chaumières des vieux pays ; comme si sa mémoire avait éclairé soudain son arbre aux racines vieilles de mille ans ; comme si lui, Raphaël, ballotté de vaste plaine en océan, en terre nouvelle, en pays maritime, en exil, en retour, toujours à la quête de l'endroit du monde où tu poses les pieds pour la première ou la énième fois, avait voulu enfin ajuster son être à son existence. Une seule vie, et il voulait en faire quelque chose dont il se souviendrait.

S'en souviendrait ? quand, sur son lit de mort ? à ce moment-là, quelle importance d'où sortait sa lignée ? d'En-haut, d'En-bas ?

Sa vie avait basculé le jour où il avait découvert, sans pouvoir donner un nom à son intuition, le goût de transcender les différences pour atteindre à quelque chose qui les surmontait, les unifiait dans l'universel.

Et voilà que cinq ou six ans plus tard, chez les Charles à Charles, le même Raphaël sentait son âme se contracter à l'idée que son nom pouvait le rattacher autant à la branche du capitaine Belliveau, héros de Grand-Pré, qu'à cette branchaille qui ombrageait la cabane de Don l'Orignal.

Quand il quitta le domicile du maître d'école, il était désespérément seul. Ne voulait même pas recourir à son père, surtout pas à Ludovic.

… …!

— Non, Ludovic. Laisse-moi. Si toi et moi, et tous les autres d'En-haut, et d'en haut d'En-haut, aussi haut que tu grimpes, jusqu'au roi d'Angleterre, si ça te chante, jusqu'à Charlemagne qui aurait des descendants éparpillés à la grandeur des terres connues, apparence, et si, en même temps, chez ceux d'En-bas… Tu sais qu'y a des Duplessis dans le Bas-de-la-traque, tu le savais? Ça veut dire qu'ils ont de la parenté avec Richelieu qui portait aussi ce nom-là.

— T'entends, Ludovic? Richelieu a de la parenté chez eux et nous autres on relèverait le nez dessus?

Raphaël décida du coup de s'adresser à son père, carrément, formellement. Mais Dieudonné refusa de l'écouter et le dirigea du côté du presbytère.

— Pas du monseigneur Théo, jamais je croirai!

… Du vicaire Richard, mon garçon. Va te confesser.

Et Raphaël éclata de rire. Dieudonné se moquait de lui. Puis il se souvint que les plus riches échanges qu'il eût jamais avec son père naissaient toujours ainsi, dans des âneries. Va te confesser de t'avoir gratté le nez, d'avoir mangé ton dessert avant la soupe, d'avoir jamais su sur quel pied danser.

Il apprit que chez les Richard aussi on dansait un pied en haut, un pied en bas. Un certain monsignor Richard avait donné à l'Acadie son drapeau en 1881 et avait osé tenir tête à son évêque anglophone, pendant que d'autres Richard pêchaient des huîtres contaminées dans une baie interdite. Il apprit pourtant que tous ceux-là, autant les pêcheurs que les maîtres ou chefs de file, pouvaient se réclamer d'avoir fondé le pays.

Cette confession, si elle ne servit pas à laver l'âme de l'archange de ses péchés, réussit tout de même à l'élever au-dessus des croyances et coutumes communes à la plupart des mortels. Dont la plus indécrottable, dans ce Grand-Petit-Havre de l'époque, le clivage entre les gens d'En-haut et les gens d'En-bas. Ce qui en langue du pays s'appelait l'art de chacun de lever le nez sur l'autre.

Quand il sortit du bureau du vicaire, Raphaël n'était plus tout seul. Il était multiple : il était François-Xavier, Noume, Peigne, Anne, Katchou, Clara, Boy à Polyte, le vieux Clovis, le vicaire, la mère des Charles à Charles, la centenaire Ozite, Don l'Orignal, Monseigneur... non pas lui... si fait, lui, tous, ses cousines Belledune, sa tante Joséphine au bras de Clémentine... tout le village du plus grandiose havre du pays des côtes. Il était le pays, devait le raconter, le peindre, le jouer, sans distinction d'origines ou d'appartenances, en faire une sorte de... de bouquet hétéroclite de marguerites et violettes et pissenlits et cenelles et chardons et gerbes d'or et roses des champs, un bouquet indigne de figurer sur le maître-autel de l'église au plus haut clocher du diocèse, mais...

— ... capable de parfumer la salle paroissiale qui va se remplir avant que l'automne nous encabane pour l'hiver, parole de vicaire !

Et le vicaire tint parole.

Un nouveau chapitre s'ouvrit dans la vie de Raphaël alias Arlequin.

Il avait appris par Anne qui le tenait de François-Xavier que dans le grenier des Landry, un vieux coffre ayant appartenu à un arrière-grand-oncle fondateur de la paroisse débordait de livres effilochés et jaunis.

— Des livres importés de France, se vanta François-Xavier.

— Tous nos livres sont sortis de France, répliqua Raphaël.

Mais il regretta aussitôt sa rebuffade. Il était reconnaissant à l'étudiant qui avait plus d'une fois fait l'éloge de ses dons exceptionnels et de sa science quasi infuse, selon son dire, surgie d'on ne savait quel puits intarissable et caché.

— Chacun a son puits caché, c'est juste qu'y en a qui se donnent pas la peine de le creuser. Toi, par exemple… Veux-tu dire que t'as espéré passé vingt ans avant d'aller fureter dans le coffre de tes ancêtres ?

François-Xavier encaissa le coup. Puis :

— J'ai espéré que t'arrives, l'archange. Parce que ces livres-là, faut pas juste les lire, faut apprendre à les lire…

— … entre les lignes, enchaîna Raphaël.

Anne et Clara puis leur cercle d'amis furent associés aux deux explorateurs de grenier dans l'aventure qui allait chambarder les habitudes puis le visage du Grand-Petit-Havre.

Durant les saisons froides, on décortiquait les trésors du théâtre français, et dès que se pointait le printemps, on rassemblait ses troupes. Chaque année, de nouveaux adeptes révélaient l'engouement pour le jeu que ce peuple traînait non pas dans ses greniers, mais au tréfonds d'une mémoire qui s'enracinait dans trois, quatre ou cinq siècles. Car au coffre des Landry s'ajoutèrent les trouvailles du vicaire dans les presbytères et des étudiants dans la bibliothèque du collège.

Et c'est ainsi que dans une salle paroissiale qui avait accueilli Tizoune et Balloune et la délégation des Louisianais, on en vint à monter *Les fourberies de*

Scapin, *Le médecin volant* et *Le médecin malgré lui*, *La farce de Maître Pathelin* et celle de la *Femme muette*, des féeries, soties, pantomimes, bouffonneries, paysanneries et jusque des opéras-bouffes !

— Eh ben, si fait, ça s'adonne que ça chante par chez nous !

On vit les vieux et les jeunes du pays acclamer d'un même souffle Anne et Clara, puis applaudir les ténors et sopranos, les basses et altos, les voix d'En-bas et les voix d'En-haut. Le pays des côtes laissait enfin éclater sa passion naturelle pour la musique.

Tout cela, sous la baguette magique de l'Arlequin du Grand-Petit-Havre qui revisitait Molière et les farces du Moyen Âge, mais servis dans un siècle et sur un continent qui avaient vu apparaître Charlie Chaplin et Buster Keaton.

Tout le village et ses faubourgs se ruaient sur le théâtre qui transformait le visage du pays chaque été durant cette deuxième moitié de la décennie trente-quarante. D'En-haut ou d'En-bas, du centre du village, des buttes, des dunes, du fond des bois, de l'arrière-pays, de partout à des lieues à la ronde, on débarquait à pied, à bicyclette, en camion ou en Ford à palette, et on envahissait la salle.

— Et là la chicane pornait, racontait le lendemain le vieux Clovis qui s'était contenté de regarder le spectacle par les châssis.

Il passait de fenêtre en fenêtre, juché sur des cordes de bois, s'accrochant comme il pouvait aux chambranles, mais perdait pied chaque fois que dans la bordée d'applaudissements il cherchait à taper des mains. Quand il parvenait à retrouver son équilibre sur les bûches mal cordées, il en avait perdu des bouts, mais on pouvait compter sur Clovis pour rafistoler l'histoire qui n'en sortait qu'enrichie.

La chicane des gens qui avaient réussi à entrer dans la salle débutait au moment où une garce d'En-bas se glissait sur le siège d'une maîtresse femme du village des Collette partie serrer la main d'une cousine du lac à la Mélasse; ou quand l'un des placiers demandait à un gamin de céder sa chaise à Maude Bourque qui avait payé le plein prix; ou tout simplement parce que les rideaux tardaient à s'ouvrir et que la salle commençait à taper du pied. Alors quelque effaré de Happy Town ou des collines se mettait à siffler et entraînait les plus hardis dans une huée qui énervait les comédiens. Pour faire patienter le public, c'était le moment que choisissait Raphaël pour sortir la tête de sous les rideaux, se dresser sur une patte, l'autre enroulée à son cou ou autour de sa hanche, puis se lancer dans une pitrerie, nouvelle chaque soir. Le danger de cette diversion, c'est qu'elle divertissait si bien la salle qu'on en redemandait. C'est pourquoi chaque soir, pour avoir droit à ce hors-d'œuvre, on sifflait ou chahutait de plus belle.

Mais l'ordre et le silence se rétablissaient dès la levée du rideau, à l'apparition des premiers protagonistes ou figurants. On attendait toujours le moment de grâce du spectacle: l'arrivée dans l'arène du joueur étoile, Raphaël alias Arlequin. En Maître Pathelin ou amant malheureux, en Scapin ou médecin malgré lui, en chasseur ou pourchassé, trompeur ou trompé, fouetteur ou fouetté, en clown, sorcier, bellâtre, âne, peu importe sous quelle peau il s'incarnait, l'Arlequin des côtes attirait tous les regards et les cœurs, se révélait chaque fois le rassembleur charismatique et indispensable à un peuple sorti depuis trois siècles des vieux pays, mais pas encore dépouillé de sa vieille pelure. On se languissait. On rêvait. On s'ennuyait des temps à venir. Et ce prodigieux personnage qui revêtait tous les costumes sans jamais s'éloigner du sien propre, incarnait cette part d'humanité décomptée, délaissée, que de rares clairvoyants avaient espéré voir un jour occuper sa vraie place dans le monde.

Notre héros était-il de ceux-là ? Avait-il entrevu puis trouvé la place qui appartient aux seuls ailés ? Les anges, les archanges, les oiseaux de grand vol, dépourvus de domicile fixe, de liens terrestres, apatrides en quête d'origine, hors du temps, mais à l'aise dans l'éphémère comme dans l'éternel, ceux-là entraient-ils dans l'imaginaire comme on entre au logis ?

… Entrer au logis !

Comment concilier la quête et la découverte ? Où loger l'éternel Juif errant ?

De sa chambre en retrait dans une lucarne de presbytère, Raphaël disposait de longues heures matinales ou nocturnes pour interroger la lune et les étoiles. Depuis que par la magie du rêve il avait projeté le Grand-Petit-Havre hors de ses frontières, amené des descendants à renouer avec les anciens, révélé en même temps à François-Xavier, à Clovis, à Katchou ou Boy à Polyte la noble origine de leur langue que Molière avait mise dans la bouche de Pierrot et Charlotte trois siècles auparavant, depuis qu'on lui avait accordé carte blanche pour refaire le visage du pays par le truchement de la farce ou de la tragédie, depuis qu'il avait enfin pu prendre son envol, l'albatros sentait ses pattes encombrantes et maladroites sur le sol raboteux du quotidien.

Un soir de noces chez l'oncle Donat des Charles à Charles, ce musicien au rythme infaillible avait pourtant perdu pied et perdu la face en voulant faire tourner Clara dans un quadrille écossais, sous les yeux d'Anne qui n'en laissa rien paraître. Raphaël aurait voulu s'enfoncer sous terre. Mais le pire l'attendait : Anne elle-même, pour lui faire oublier sa maladresse, se présenta devant lui et lui tendit les bras. Nouvelle catastrophe, il lui écrasa la pointe du pied. Lui, l'elfe, l'acrobate, l'oiseau des hauteurs, au sol, la moindre émotion le faisait clopiner. Et pour augmenter sa honte, il dut assister, comme un mauvais élève dans le coin, à la valse d'Anne et de François-Xavier en veston croisé.

— Tu sais qui louche du côté d'Anne et Clara, Ludovic?

... Anne et Clara? Pour en lorgner deux en même temps, faut bien qu'il louche.

— Grand-gueule! nargue-moi pas. Il a fait son choix, ben, pour pas l'épeurer, il tourne autour des deux, c'est une stratégie.

... Arrête de parler en paraboles. Qui aime qui?

— François-Xavier aime Anne, c'est clair comme...

... comme de l'eau croche.

Raphaël glousse. Puis se rend compte que ça fait un bon bout de temps qu'on n'a pas eu des nouvelles de Peigne. Il a toujours eu l'habitude de courir le pays, mais là...

— Tu penses, Ludovic, que Peigne aurait... je sais pas... s'éloignerait à cause de...

... d'un chagrin d'amour?

— Je pensais pas à ça.

... Tu penses à l'amour. Tu penses à François-Xavier. Tu penses à...

— Je pense à moi.

... Tu penses à toi qui penses à celle qui s'appelle Anne.

— Anne... oui, Anne... ANNE!

... Huche pas. Tu réveilles les corneilles qui te répondent.

— Que je les entende répéter ce nom-là! Anne dans le bec d'une corneille! Couac!... Tant qu'à ça, dans ma bouche aussi son nom sonne faux.

232

Il enfonce sa tête dans le creux de ses mains et soupire à blesser le cœur de son ange.

— Comment t'expliques ça, Ludovic, que je réussisse à jouer si juste sur un clavier, à en tirer des sons si doux qu'on les croirait sortis de la brise... Je pourrais transposer Anne en musique qu'elle se reconnaitrait... rien qu'en prononçant son nom la nuit, je fais frissonner les étoiles... ris pas, je les vois... mais dès que je suis devant elle, je caille. J'arriverais jamais à dire... à dire...

... Anne, je t'aime.

— Tu vois? Même là, j'ai besoin de toi.

Il se renfrogne, puis se désole :

— Je serai jamais un homme, Ludovic.

Il laisse passer un ange, puis :

— Comment je ferais pour être un homme comme les autres? comme François-Xavier, Noume...?

... Faudrait te rogner les ailes.

Cette nuit-là, Raphaël n'interroge pas les astres ni la lune. D'ailleurs, le ciel est complètement noir. Opaque. Chargé d'orages. Son âme plus chargée encore. Il la sent peser sur son corps jusqu'à l'écrapoutir. D'ordinaire, c'est le corps empoté qui broie l'âme. Mais plus rien n'est à l'endroit depuis qu'il a senti ce malaise, puis ce mal, tout à coup cette douceur de souffrir, enfin cette souffrance devenir bien-être, bonheur, bonheur trouble, bonheur indicible, bonheur impossible.

— Qu'est-ce qui t'empêche d'être heureux, Raphaël? Raphaël! Réponds-moi!

Il a parlé à haute voix, seul dans sa lucarne. Serais-tu en train de devenir fou, l'archange? Non, il sait qu'il doit choisir. Qu'il a déjà choisi. Qu'Anne ne sera pas pour lui. Elle est trop, trop ceci, trop ça, trop pour lui. Et sur le terrain des moutons, dans les champs de marguerites, à la danse carrée, dans la vraie vie qui se bâtit un avenir, François-Xavier qui se lancera bientôt en politique a une longueur d'avance sur un Arlequin, même un barde envoyé des dieux.

... Anne n'est pas perdue pour toi, mon innocent de frère.

C'est la première fois que Ludovic le traite ainsi, et dans une phrase énigmatique en plus. Innocent, lui ?

... Pour que tu la perdes, faudrait qu'elle disparaisse.

Raphaël reste coi.

... Faudrait que tu l'aies jamais connue. Tu devrais comprendre ça, toi qui te crois si futé.

— Oh, les grands mots, asteur ! futé, Dieu de Dieu ! Puis :

— ... Tu me trouves intelligent, vraiment ?

... Anne... ta muse...

Raphaël en pleura la moitié de la nuit... l'autre moitié, il la dormit comme un ange.

Tard cet automne qui avait pourtant tardé à venir, Peigne réapparut. Raphaël et ses compagnons d'En-bas et d'En-haut, de même que Clémentine et la vieille Ozite qui avaient toujours veillé sur le sans-abri, tous ceux qui n'avaient jamais craint pour Peigne avaient commencé à s'inquiéter. Sauf le vicaire, lui savait, et n'avait rien dit. Avait promis de ne rien dire. Et parole de prêtre...

— Il avait dû se confier à confesse, conclut le vieux Clovis.

Pas au confessionnal, non, dans la grange du presbytère.

C'est dans l'aire de la grange que le vicaire donnait rendez-vous à Peigne, sur l'insistance du vagabond qui refusait de mettre les pieds au presbytère pour cause d'hygiène. Pas qu'il eût craint d'attraper quelque parasite ou infection, mais craint d'en donner. Ça lui répugnait de laisser sur des tapis si propres et spongieux des traces de ses bottes mouillées, boueuses ou ensablées, selon la saison. Et le vicaire comprenait.

Dans la grange, assis dans le foin, les deux avaient échangé durant quelques jours, puis argumenté, résisté, repris le débat depuis le début, et finalement s'étaient accordés sur la première proposition de Peigne : il partirait en mission diplomatique à la baie Sainte-Marie. La «mission diplomatique» n'était pas de Peigne, c'était l'expression du prêtre, mais l'idée de partir convaincre quelqu'un là-bas de quelque chose qui concernait Raphaël était sortie toute saugrenue mais ferme du cerveau du sans-famille laissé-pour-compte.

Et il était parti avec la bénédiction ecclésiastique, ça, il y tenait, tenait à l'approbation du p'tit prêtre. Il avait réglé sa boussole sur le sud, en terre inconnue, quasiment les pays chauds, la *Nova Scotia*. Comment il atteindrait le pays du capitaine Sullivan et de Marguerite à Yutte, lui qui n'avait voyagé que dans les étoiles ; comment il plaiderait la cause de son ami qui n'était pas vraiment en cause ; comment il expliquerait aux gens de là-bas qui avaient si bien accueilli Raphaël pourquoi il ne les avait pas trahis, non, tout simplement choisi de pas se trahir lui-même... pour un soi-disant sourd-muet, voilà qui n'était pas une expédition et encore moins un plaidoyer faciles. Mais Peigne n'ayant jamais rien possédé que son âme, n'avait qu'elle à perdre. Et il était prêt à la risquer pour le salut du seul maître et ami qu'il eût jamais.

Quand le vicaire voulut savoir ce qui pouvait menacer le salut de Raphaël, Peigne réussit, après un soliloque revu, corrigé et entrecoupé par les repas et nuits de trois jours, à ouvrir au prêtre un coin de l'âme humaine que quatre années d'études théologiques ne lui avaient pas enseigné : l'âme d'un archange. Dans les mots de Peigne, ça s'appelait un envoyé du ciel, un tombé de l'au-delà, un à-part-des-autres, un fureteur à son aise dans les mystères cachés au commun des mortels qui constituent l'humanité de partout et d'ailleurs. Il expliqua au prêtre le côté sombre lumineux de Raphaël, embrumé de clairs-obscurs, son âme double multipliée au centuple qui parlait la langue des oiseaux de haut voltage aussi ben que des poissons de mer ténébrumeux des profondeurs. Après trois jours, l'abbé se sentait lui-même en train de nager dans les mers les plus profondes, mais n'en saisit pas moins qu'il fallait s'occuper du sort du surdoué dont la conscience planait sans doute à la hauteur de son génie. Il résuma la situation en une phrase que Peigne comprit du premier coup :

— Raphaël, en refusant de se joindre à la troupe de Tizoune et Balloune en partance pour la Nouvelle-Écosse, a dû faire le choix entre abandonner les premiers qui l'avaient accueilli au pays à l'âge de quinze ans, et les autres qui lui demandaient, une fois qu'il est devenu homme, de leur rendre leur histoire, leur mémoire… l'espoir de se retrouver un peuple.

Peigne comprit. Et c'était pourtant la phrase la plus longue et la mieux bâtie qu'il eût jamais entendue.

Le Grand-Petit-Havre n'apprit la mission de Peigne qu'à son retour, aussi discret que sa disparition.

L'exploration en territoire inconnu n'avait pas été sans risque, le vicaire n'était pas né d'hier et s'y attendait. Mais il avait compris dès le premier jour de leur rencontre au sommet de la grange qu'il ne parviendrait pas à décourager l'explorateur de l'entreprendre. Et puis il lui faisait confiance. Car personne autant que ce sans feu ni lieu depuis le berceau n'avait acquis une telle capacité de survie dans le quotidien comme dans l'imprévu. De mémoire du pays des côtes, Peigne était le seul à pouvoir rester des heures... mettons un ou deux quarts d'heure, au fond du chenal de cinquante pieds de profondeur, ou à passer des jours et des jours sans manger ni dormir. Il pouvait écouter brailler les brailleux, rechigner les chialeux, déblatérer ou discourir les ennuyeux sans jamais bouger un cil ou remuer les pieds sous la table. Il avait de l'endurance et de la ténacité, multipliées par un fonds de roulement d'inventions de son cru qui lui permettaient de se sortir d'à peu près toutes les situations embarrassantes ou périlleuses. Le vicaire avait confiance.

L'expédition dura trois mois, dont deux pour atteindre la province voisine après un détour par le Québec, un crochet dans le Maine, un aboutissement qu'il ne saura jamais expliquer en pays de Terre-Neuve et au Labrador. Quand enfin il atteignit la baie Sainte-Marie, il était fin prêt pour sa mission. Et il l'accomplit avec un art consommé. C'est-à-dire l'art consommé d'un Peigne à l'apogée de sa peignerie. Il raconta avec un tel flux et reflux de sentiments et une si belle enchevêtrure de phrases subordonnées les unes aux autres, que les Sullivan, Marguerite à Yutte, Badgeuleuse, compères et commères et même l'inspecteur d'école restèrent la gorge nouée devant les grandeurs et misères de Raphaël, l'archange errant des côtes.

— Le cher enfang !
— Le tit ratoureux !
— L'enfang béni du ciel, comment va-t-il s'aouindre de ça ?
— C'est point le temps de l'abandouner au desting.

— Bien au contraire, rectifie l'inspecteur, ce prodige a rencontré son destin. Laissez-lui de la laisse pour le rejoindre.

Et le vent tourne.

— Si on l'invitait à venir faire un tour?

— Mais il a déjà choisi de rester par en haut.

— Point chouèsi de rester tranquille, beng de bâtir. On a besoing icitte itou de se faire escouer les puces.

Par les petits, les esprits s'échauffent, puis se calment, élaborent des plans, rêvent, se risquent à soumettre des idées que Peigne attrape sans savoir où tout ça peut le mener, mais suit lui aussi son instinct, ou celui de Raphaël. À distance, il écoute la voix de son seigneur et ami lui parler d'Arlequin, de scène, de théâtre. Il répète ce qu'il entend, sème des mots, des idées que le capitaine et l'inspecteur triturent, font petit à petit ingurgiter aux autres, et tout à coup, c'est Marguerite à Yutte qui largue :

— Faut le faire venir à la baie Sainte-Marie avec toute sa troupe.

Le vicaire appela d'urgence Raphaël à son bureau, c'était sérieux. On allait bientôt entrer dans la saison froide. On disposait de tout l'hiver pour imaginer et bâtir, établir les contacts avec les cousins du sud, rétablir les liens.

— L'art, le plus sûr lien entre les peuples, les civilisations. Les monuments, la musique, la poésie, l'art a franchi les continents et les siècles.

— L'art dramatique, la farce, celle de *Maître Pathelin*, de la *Femme muette*, du *Médecin volant*, de Jocrisse qui vend sa culotte pour sauver son âme.

— Où tu l'as trouvée, celle-là?

De son index il cogne à sa tempe :

— Là-dedans. La farce de Jocrisse est pas faite encore, mais ça s'en vient. Un beau mélange de bouffonnerie et de drame épique, une joyeuse et triste aventure qui fera brailler et rire, s'ennuyer surtout, rêver à autre chose.

Il s'emballe :

— Atteindre l'inaccessible.

Le vicaire comprend que la machine est embrayée et qu'il ne faut surtout pas la freiner. On verra à mesure comment canaliser les élans et trouver moyen de lancer les cerfs-volants au-dessus de la baie de Fundy pour les faire atterrir en Nouvelle-Écosse.

Il a pensé tout haut. Raphaël a souri puis cligné de l'œil :

— Tiens, tiens ! en cerfs-volants dans le ciel de la baie Sainte-Marie. Quel superbe atterrissage pour une troupe de romanichels ! La Badgeuleuse va faire dans ses hardes.

L'exaltation était à son comble. Rien ne pouvait abattre l'enthousiasme qui grandissait avec l'arrivée des troupes des gens d'En-bas, d'En-haut, des étudiants de Memramcook qui leur restaient fidèles, des hordes du village des Collette et de la butte du Moulin, de Boy à Polyte et Noume qui en entraîneraient d'autres, des pensionnaires du couvent qui ne voulaient pas être en reste, du bateau qui grossissait, se remplissait, prenait l'eau. Raphaël commença à comprendre ce que le vicaire avait compris avant que la machine ne se mette en marche : que ça ne serait pas aussi simple que le théâtre de shed ni même de salle paroissiale.

Aux problèmes de logistique s'ajoutèrent ceux du financement. Tout le monde qui avait découvert le théâtre voulait maintenant découvrir la Nouvelle-Écosse. On avait de la parenté par là, on éprouvait la nostalgie des aïeux d'avant le Grand Dérangement. Raphaël s'attrapait la tête, le vicaire son bas de soutane pour mieux arpenter le grand hall du presbytère… le presbytère avec ses trésors en terre cuite ou marbre d'Italie, sa collection de monnaies anciennes qui datait du premier curé qui avait vu Rome et…

— Pas question !

Le présent curé lui aussi avait vu Rome et y avait appris qu'on ne laisse pas impunément dilapider les biens de l'Église. On ne toucherait à aucune monnaie, médaille, à aucun objet artistique ou religieux, patrimoine de la paroisse, pour financer une troupe d'amateurs qui s'en iraient s'épivarder chez les voisins du sud.

Le vicaire devait se le tenir pour dit. Le vicaire, le bedeau Raphaël, les badauds de théâtre, voire les comédiens sérieux qui non seulement avaient pris goût aux divertissements des vacances d'été, mais avaient découvert, hors des livres et sur les planches, les auteurs dramatiques des grandes époques.

— C'est pas ça aussi, du patrimoine ? avait risqué un étudiant de Memramcook fort en thème.

On s'arrête, s'interroge, rassemble les morceaux du puzzle. Le peuple acadien est répandu sur trois provinces, parsemé en plus le long de la rive sud de la Gaspésie et de bord en bord des Îles-de-la-Madeleine. Or, voilà que les cousins de la Nouvelle-Écosse les invitent à venir chez eux, à la baie Sainte-Marie, monter du vieux théâtre français dont ils sont aussi les héritiers légitimes.

— C'est leur patrimoine à ceux-là itou, comme à nous autres.

— On a-t-y le droit de les en priver ?

Les esprits s'échauffent. De toute façon, on n'a pas besoin de la permission du curé pour partir en tournée, la culture est distincte de la religion et n'est pas du ressort de l'Église. On ne se donne pas la peine de s'excuser auprès du vicaire, car tous instinctivement ont déjà dissocié le p'tit prêtre de cette Église-là. Le p'tit prêtre ne s'en formalise pas et laisse à tous les cordeaux sur le cou.

— Si vous voulez mon dire…

— On veut le dire de tout le monde.

Et tout le monde s'en prévalut.

— S'il vous plaît, pas tous en même temps.

Car certains prolongeaient déjà le voyage jusqu'en Gaspésie et rêvaient du Bas-du-Fleuve. Et pourquoi pas Saint-Pierre-et-Miquelon ? On serait retourné en France rendre Molière aux ancêtres, si on avait laissé faire les plus mordus. Le vicaire, Raphaël et François-Xavier s'efforçaient de calmer les enthousiasmes débridés, quand Clara réussit à ramener l'ordre sans autre argument que celui de Carmen qui se mit à chanter *Si tu ne m'aimes pas, je t'aime et si je t'aime, prends garde à toi.* Puis, au beau milieu de la *Fleur que tu m'avais jetée…*

— Bingo !

Qui a crié ?

— Faut organiser un bingo, un bingo paroissial.

Pourquoi pas ? Si avec les recettes d'un bingo monstre on avait réussi dans le passé à refaire le clocher de l'église la plus, et cetera… du diocèse.

Et c'est ainsi que cinq six mois plus tard, la troupe du Grand-Petit-Havre partit à la baie Sainte-Marie avec son répertoire de fables médiévales, d'extraits de Rabelais et de Molière et un impromptu de Raphaël qui s'intitulait *La farce de Jocrisse qui perd sa culotte en voulant sauver son âme.*

Ce fut le triomphe.

Jamais Sullivan ni Marguerite à Yutte n'avaient imaginé le retour de l'enfant prodigue et prodige sur les lieux mêmes du point de départ de son odyssée.

— Même pas dix ans ! pleura la Badgeuleuse.

En moins d'une décennie, le jeune errant avait vécu l'initiation suprême, le passage de l'enfant à l'homme. L'archange largué par son père sur le chemin de la quête de ses origines et la conquête de son destin avait dû traverser l'épreuve du feu, trancher tous les nœuds gordiens qui lui barraient la route. L'un après l'autre, il avait vu se dresser sur son chemin les obstacles à la réalisation d'un rêve qu'un autre avait rêvé pour lui, mais auquel il avait pris goût. Sans le savoir, il accomplissait la mission qu'il n'avait pas imaginée lui-même, qu'à vrai dire nul chez son peuple n'avait crue possible avant le prochain siècle, si jamais on réussissait à l'atteindre.

Sous les applaudissements de la foule accourue des quatre coins qui encadraient la baie reconquise petit à petit durant deux cents ans, Raphaël et sa troupe saluaient, se tapaient dans les mains en guise de remerciements et unissaient leur rire à celui du public en délire.

— Tu vois, tu entends, Ludovic ?

… J'entends, je vois, je sens et je touche du bois.

— Qu'est-ce tu veux dire, casseux-de-veillées ?

Et Arlequin continue de saluer sans rien laisser paraître du dialogue entre les deux frères.

— T'es pas en train de bouder notre joie, un soir pareil ? Quelle sorte de glas t'entends sonner cette fois ? Ceux qui devaient mourir sont morts.

… La Mort est pas morte, jamais morte.

— Arrête !

Raphaël revient saluer à chaque lever de rideau. Il veut ignorer Ludovic.

— Je le sais comme toi que tout le monde est mortel. Mais y a rien qui presse. J'ai pas encore vingt-cinq ans, Ludovic !

… …
— Ludovic?

Les saluts sont terminés. On se congratule, s'embrasse, se tape dans le dos, tandis que les jeunes comédiens, en pourpoint, chapeau pointu et la face barbouillée, sautent la rampe et rejoignent la foule d'admirateurs qui les porte à bout de bras.

— Demain, la fête continue.

Après cinq jours, il ne restait plus une queue de homard ni une bouchée de pâté à la râpure entre Pubnico et Digby. La baie Sainte-Marie était en liesse et repue.

Puis chacun rentra chez soi.

Le vicaire n'était pas du voyage. La paroisse Saint-Jean-Baptiste du Grand-Petit-Havre était la plus… la deuxième plus importante du diocèse, et l'été, la plus grosse saison pour un vicaire. D'autant qu'en cette fin août 1939, on célébrait un jubilé : les cinquante ans de règne de Monseigneur.

Cinquante ans de vie sacerdotale, s'entend, le monseignorat vint plus tard. Mais personne ne se rappelait l'époque d'avant, ne pouvait imaginer Monseigneur en simple prêtre, sans le prestige et l'autorité que lui octroyait le violet à la barrette et aux boutonnières. Il était né seigneur comme d'autres naissent clowns ou trompettistes.

Comme Raphaël était né oiseau des hauteurs.

Et c'est à lui que l'on confia les célébrations du jubilé.

Pas de Jocrisse cette fois, pas de pitreries, aussi savantes ou antiques soient-elles. Du grandiose, des hommages dans le respect et la dignité. Ne pas oublier

243

qu'on serait en représentation devant l'archevêque
et le haut clergé, devant les officiers de l'Ordre de
Malte, l'Ordre de Jérusalem, les Chevaliers de Colomb,
les députés, délégués, représentants, membres de
confréries, le gratin bleu-blanc-rouge étoilé jaune du
pays des côtes.

— Et les autres ?

— Qui, les autres ?

— La paroisse et ses paroissiens.

Le vicaire rit dans sa barbe, Monseigneur se
dérouilla la gorge.

— Hum... hummmm. Tout le monde sera invité.
Mais chacun à sa place.

Puis, se ressaisissant :

— La tienne, mon Raphaël, sera dans le jubé, au
grand orgue. Je te fais confiance.

On s'entendit sur Bach et le chant grégorien. Sur
les fleurs coupées et les guirlandes en satin. Sur les
discours, les hommages, les boniments du chœur des
enfants. Tulles et dentelles pour les fillettes, velours
pour les garçons.

— Combien ?

— ....???

— Combien de figurants, de participants ? Je
connais beaucoup de petits morveux en salopette
qui vont se présenter. Ça sera malaisé de refuser aux
guénillous de fêter le jubilé.

Monseigneur perdait pied. Le vicaire vint à son
secours.

— Tous ceux qui voudront fêter Monseigneur
auront leur chance, on ne refusera personne.

Et il proposa de demander aux dames de la
paroisse de confectionner des vêtements convenables et
identiques pour tous les jeunes figurants. Pas nécessaire
de donner dans le velours et la dentelle, la simplicité
aura meilleure allure. Quant aux autres, la foule...

— Si on montait un spectacle… où tout le monde est invité ?

L'idée était sortie toute seule de la bouche de Raphaël, mais en réalité n'était pas aussi saugrenue qu'elle en avait l'air. Selon son habitude, il était allé la piger dans les recoins de son for intérieur, plus insondable que jamais.

Il n'eut pas trop grand peine à convaincre Monseigneur de se laisser honorer par son peuple, même si Raphaël crut apercevoir un nuage d'appréhension filer sur le front du jubilaire pour disparaître aussitôt. Monseigneur ne pouvait douter du talent exceptionnel de l'artiste qui avait réussi à éblouir l'inspecteur, le clergé et la moitié de leurs cousins de Nouvelle-Écosse.

Comme d'accoutume, pour trouver le thème original, l'idée unique, imprévisible et lumineuse, l'artiste partit en haut du champ s'entretenir avec les corneilles et autres ailés. Mais au lieu des criailleries ou des croassements habituels, il entendit un doux chant de voix enfantines qui sortait des foins mûrs et jaunes.

C'est un beau château
Ma tant' tire, lire, lire,
C'est un beau château
Ma tant' tire, lire, lo.

Le nôtre est plus beau
Ma tant' tire, lire, lire,
Le nôtre est plus beau
Ma tant' tire, lire, lo…

À l'apparition de l'archange, la danse s'arrête et le chant se fige sur la dernière note. Les quatre fillettes qui dansaient la ronde du beau château ont reconnu Raphaël et accourent vers lui. D'ordinaire, il n'apporte que de bonnes nouvelles et propose des projets exaltants.

— Alors, la marmaille, il s'appelle comment, ce jeu-là?

Les quatre pincent le nez, elles n'aiment pas se faire traiter ainsi. C'est pour l'éviter qu'elles se sont dotées d'un nom, pour se distinguer de la marmaille, justement.

— Ah bon? et c'est quoi le nom du groupe?

Chacune contemple l'autre : ce secret, elles ne l'ont encore livré à personne. Mais Raphaël n'est pas personne, pas une personne du commun, c'est l'artiste, le grand maître du jeu.

Céline, l'aînée, fait le tour des têtes puis risque :

— Tu peux garder un secret?

Il ne répond pas mais fait une croix sur sa bouche, puis crache trois fois par terre. Après quoi il marmonne une incantation entre ses lèvres qui se termine par... *hope to die*.

— Qu'est-ce t'as dit?

— Mieux mourir que dévoiler le secret.

Nouvelle consultation, les quatre fronts collés, puis avant que les autres n'aient le temps de la retenir, Radi lâche d'un trait :

— Ramacélange!

Consternation, inquiétude, expectative, puis soupir de soulagement collectif. Il a levé un sourcil, souri, puis répété presque en chantant :

— Ramacélange? C'est un nom qui se chante! Vous l'avez dénigé où, ce mot-là?

Cette fois, c'est Fleur-Ange qui répond :

— Dans nos noms.

Et chacune se nomme : Radi, Marie-Zoé, Céline, Fleur-Ange.

Raphaël refait vite la combinaison : RA-MA-CÉL-ANGE puis s'exclame :

— Eh ben, mesdemoiselles, vous avez réussi à *ramasser l'ange!* Avec ça, on peut voler haut. Bravo !

Elles n'y avaient pas pensé, n'avaient cru inventer qu'une anagramme, sans même connaître le sens de ce mot-là. Or, voilà que du premier coup le poète, lui, avait décrypté sa signification cachée. Les jeunes fées, qui rejouaient éternellement la naissance du monde, se transformaient en muses et, à leur insu et leur plus grand étonnement, recréaient la langue.

Raphaël dès le lendemain convoquait Anne et Clara, François-Xavier et les autres et leur présenta le quatuor des muses-fées. La création du monde était bel et bien partie. Et de ce monde sortirait le Grand-Petit-Havre et dans ce Havre apparaîtrait le prêtre venu évangéliser les pauvres et…

… et c'est le spectacle que viendrait applaudir la crème du pays.

La crème et le petit-lait. Tout le monde.

Depuis l'accueil de la délégation louisianaise quelques années plus tôt, triomphal malgré sa finale en queue de poisson, le Grand-Petit-Havre avait solidement assis sa réputation de centre incontesté des festivités théâtrales, musicales, carnavalesques. La barre était haute pour Raphaël et sa troupe, pour Monseigneur surtout qui devait jouer le fêté-qui-ne-sait-rien et qui n'a par conséquent aucun droit de s'en mêler. Il tint parole et resta à l'écart jusqu'au bout.

Jusqu'au grand soir qui offrait au pays des côtes dévalant les collines, les champs d'En-haut, les villages avoisinants, le fin fond du nord et du sud du comté, de venir applaudir aux côtés des paroissiens de l'église Saint-Jean-Baptiste l'hommage offert au seul monseigneur qui eût jamais célébré dans le diocèse son jubilé sacerdotal.

Le *pageant* débuta avec le chœur des fillettes du Ramacélange. La ronde autour du beau château multipliait les couplets où les mauvaises fées promettaient de détruire le château... tire, lire, lire...

> *Comment ferez-vous ?*
> *Ma tant' tire, lire, lire...*
>
> *Nous prendrons vos filles*
> *Ma tant' tire, lire, lire...*
>
> *Laquelle prendrez-vous ?*
> *Ma tant' tire, lire, lire...*
>
> *Celle que voici !*
> *Ma tant' tire, lire, lire,*
> *La plus jolie,*
> *Ma tant' tire, lire, lo !*

Mais au moment où les diablotins encerclent la benjamine Radi qui hurle de vrais cris qu'elle a répétés durant trois jours mais qui pour la première fois lui arrachent les tripes, et alors que surgit la troupe de l'archange saint Michel en rang de bataille pour l'arracher aux démons de l'enfer, on entend des poulies grincer dans les ciels de la scène. La foule reste suspendue. Quel ange va descendre d'en haut pour sauver la vertu menacée ? L'auditoire ouvre grand les yeux, gesticule sur sa chaise... certains durent même se souvenir des Louisianais et jeter un œil du côté de la porte... Mais tout s'enchaîne si bien et de manière si inattendue que le spectacle fige l'attention du public sur le vrai thème qu'a élaboré soigneusement, consciencieusement Raphaël.

On célébrait le jubilé d'un curé de paroisse, le curé Théophile promu prélat ecclésiastique avec titre et privilèges de monseigneur, mais avant tout curé d'une paroisse qui attendait du prêtre qu'il la conduise à Dieu. Raphaël connaissait et avait fait découvrir aux autres les significations et la symbolique du théâtre. Un jeu qui, pour mieux reproduire la vie, la transpose jusqu'à la démesure.

Encore une fois, il avait dû faire appel à Ludovic :
— Tu connais le plus beau modèle de curé ?
... Je cherche...
— Si le père était là...
... Dieudonné ?... Minute... Tu te souviens de l'image qui trônait à côté du crucifix au-dessus de son lit ?
— Le... le curé d'Ars ?... Le curé d'Ars !

Le plus humble des curés, le plus dépourvu, celui que son évêque avait hésité à ordonner prêtre à cause de ses faiblesses intellectuelles, qui toute sa vie demeura pauvre et dans l'ombre... jusqu'au jour où miraculeusement les malades se mirent à guérir et les méchants à se repentir sur le passage ou la seule imposition des mains du saint homme qui avait l'air de rien.

Et Peigne, en soutane et chaussures en lambeaux, ébaubi mais radieux, finit par atterrir sur les planches. La foule reconnut le curé d'Ars, patron des prêtres. Reconnut Peigne aussi, et ce fut l'éclat de joie.

Puis la consternation. Petit à petit, devant la simplicité, l'humilité, presque l'insignifiance du plus candide des curés, certains commencèrent à s'interroger sur le choix du curé d'Ars comme image patronale de monseigneur Théophile. Soudain, quelqu'un eut la bonne idée de se souvenir du prénom de saint Jean-Baptiste Vianney alias le curé d'Ars.

— C'est le nom du patron de la paroisse Saint-Jean-Baptiste du Grand-Petit-Havre, qu'il fit circuler dans la foule qui applaudit à la trouvaille ou, pour les plus avertis, à l'astuce de Raphaël.

Le drame, à la fois féerique et hautement symbolique, qui réussit même à faire rire devant les impromptus de Peigne en brave curé d'Ars, émut si bien l'auditoire que Monseigneur, en violet de la barrette aux chaussettes, dut petit à petit laisser fondre sa superbe et se recroqueviller dans son fauteuil doré. Le vicaire le vit se décroiser les doigts puis s'essuyer le front, regarder sans être sûr de bien voir, écouter mais sans trop entendre. La revue de son jubilé qui se jouait sur les planches et sous les projecteurs renvoyait aux fidèles de sa paroisse et du diocèse l'image du plus modeste et insolite des curés, celui pourtant que le ciel venait d'élire pour témoigner de son Église.

Si un événement plus grave et plus universel n'était venu faire diversion, on aurait glosé tout l'automne sur la symbolique du jubilé, chuchoté dans les salons, ricassé dans la forge et au magasin général, rigolé dans la cabane de l'Orignal. Mais le triomphe du curé d'Ars sur les planches de la salle paroissiale qui fêtait les cinquante ans de sacerdoce de monseigneur Théophile fut assourdi par le bruit des canons.

— La guerre est déclairée ! criait Noume par tout le village.

Et le sujet de conversation dévia du presbytère au quai où la nuit précédente un bateau allemand avait dû quitter d'urgence le territoire maritime canadien.

Monseigneur pourrait dormir tranquille, durant six ans on ne parlerait plus du curé d'Ars.

Raphaël avait pourtant gagné. Sans avoir donné un seul coup de pioche, il avait écorché une statue de marbre aux pieds d'argile. Il demeura encore un temps bedeau, jardinier, sonneur de cloches, organiste de la paroisse, mais en s'accordant d'autant plus de libertés qu'il flairait les temps nouveaux qui se pointaient déjà à l'horizon. La guerre viendrait tout changer, il le savait. Et avant qu'elle ne vînt brouiller ses cartes, il osa tenter les dieux. Chaque jour, il prenait des risques, pour le seul plaisir, la joie d'entendre des sons nouveaux s'arracher de l'orgue sacré, de nouvelles insinuations laisser le vieux curé, de plus en plus vieux, douter de sa souveraineté.

— Jusqu'où tu vas pousser ton saccage, Raphaël ? s'enquit finalement le vicaire.

— Saccage, mon père ? À peine quelques petites écorchures.

— Il a drôlement vieilli depuis un certain temps, tu sais.

— Vieillir... rien de drôle là-dedans.

— J'avais cru que tu respectais les anciens, les faibles, les démunis.

Raphaël n'a pas de réponse à ça.

— Pas vrai ?

— Vous n'avez pas ri avec les autres, dimanche, après les vêpres ?...

Après les vêpres, Raphaël avait laissé libre cours à ses improvisations sur l'orgue qui était passé imperceptiblement du *Tantum ergo* à l'*Ave Maris Stella* au *Partons la mer est belle* à...

— ... *Sweet Adeline !* T'appelles pas ça du saccage, toi ?

— Dans le dictionnaire, on dit iconoclasme.

Et le vicaire Richard échappa un gloussement qu'il se hâta de rattraper.

251

— Écoute, Raphaël...

Mais l'autre aurait pu enchaîner de A à Z la remontrance et la devança :

— Écoutez, monsieur l'abbé, je sais tout ce que vous allez me dire et je m'incline déjà. Vous avez raison, cent fois raison, mais j'y pouvais rien. Tout ce que je fais, depuis un certain temps, est plus fort que moi. Je vous dirai même plusse : je le fais ni pour me venger, ni pour régler mes comptes, ni pour faire manger la poussière à çuy-là qui m'a déjà fait manger ma porridge dans l'étable, je vous le jure.

— Jure pas.

Raphaël hésite, regarde le bout de ses chaussures :

— Je cherche rien que... Je peux-t'y aller à confesse ?

— Non, ce que t'as fait, c'est pas un péché, c'est une erreur. Disons un manque d'égards et de compassion.

— Et si je vous disais que c'est... que c'est un aveu d'échec ?

— Comment !?

Le visage de l'artiste se rembrunit et ses pieds se mirent à piaffer. Il se détacha de la poigne du vicaire qui ne put l'empêcher de s'enfuir.

Durant les mois qui suivirent, Raphaël dut regarder, impuissant, le temps qui s'emballait. Même les nuages roulaient dans le ciel à une allure accélérée. La radio chaque matin distribuait de nouvelles informations sur l'état du monde qui entrait les yeux bandés dans la décennie la plus lugubre de son histoire. La guerre serait longue et dévastatrice, Raphaël n'avait pas besoin des journaux ni de la T.S.F., il écoutait seul dans sa lucarne les informations qui montaient en direct de son réservoir de prémonitions. L'univers avait sans doute connu pires bouleversements, depuis le temps que les planètes cherchaient leur vraie place dans le cosmos, mais…

— Tu y crois, Ludovic, à la place de chacun dans la Création ?

… Moi pas, mais toi, si fait, continue.

— Tiens ! on dirait que nos rôles s'inversent tout d'un coup. Tu me charges, moi, de croire à ta place ? Es-tu en train de me dire que tu me lâches, au pire moment ?

… C'est pas le pire moment.

— Donc que le pire est à venir, c'est ça ?

… *Le mal est pour celui qui le cherche… Morceaux choisis*, page 347.

— *À la guerre comme à la guerre !…* page 213.

… *À force de mal, tout ira bien…* page 412.

— Tu le crois ?

… Toi, tu le crois.

Les deux frères se toisent, comme s'ils allaient enfin se matérialiser. Un instant, aucun des deux n'est vraiment sûr d'être du bon côté du miroir.

Et c'est à ce moment-là, Raphaël le marque mentalement d'une croix, qu'il voit, sent, pressent l'issue de sa destinée. Aura-t-il le temps ? Le Temps sera-t-il de son bord ?

— Ça m'étonnerait, tu l'as rarement été.

… …. ?

— Oui, c'est à toi que je parle !

… Tu lâches ton frère ?

— Ludovic est hors du temps, toi t'es en plein dedans, tu portes ton nom, le Temps. Le temps qui passe.

… Et tu choisis ce qui passe ?

— Comme si j'avais le choix !

… T'as raison.

— Parle pas raison, c'était le rôle de Ludovic.

… Et il a bâsi.

— Ce mot-là n'est pas non plus de notre temps. Il a disparu… disparu en partant. Le Temps dévore tout comme les grandes marées hautes. Les mots, les images, le rire, les amitiés, la paix, la beauté, les amours… un gigantesque engoulevent!

… Si tu préfères me quitter, comme tu l'as tenté un soir d'hiver en grimpant jusqu'au faîte du pont glacé…

— Farme ta goule!

Son cri est monté du fond de sa gorge, il l'a garroché au vent et aux nuages, puis s'est laissé tomber dans le jeune trèfle du printemps.

Peigne, qui montait en courant lui annoncer la nouvelle, le trouve recroquevillé comme un ver de terre, les genoux sous le menton, le visage ravagé et mouillé de larmes.

Il l'approche en se marchant sur les pieds pour pas le réveiller s'il dort, pas l'interrompre s'il parle tout seul, ou pas le… Il s'accroche dans un bouquet de ronces et s'écrase.

— Quoi-ce tu fais icitte?

— Ah! t'es correct, t'es pas endormi ni mort.

Raphaël s'essuie les joues et le dessous du nez, saute sur ses jambes, puis tend la main à l'autre pour l'aider à se relever. Dès qu'il est debout, Peigne se plante trois doigts dans le front dans ce qu'il prend pour un salut militaire et articule en appuyant sur chaque syllabe:

— À vos ordres, mon commandant.

Raphaël ne veut pas comprendre. Il plisse les yeux, les détourne, revient les enfoncer dans les prunelles de Peigne et hurle:

— T'AS PAS FAIT ÇA!

Plus un mot. On se regarde. Se tait.

Peigne n'avait pas soufflé mot à son ami de son intention, c'est vrai, pas dit un traître mot, vérité absolue. Mais c'était pas par manque de confiance, entendez-le bien, pas pour lui cacher quoi que ce soit – il se signe sur la bouche, sur la gorge, sur la poitrine et marmonne : que je crève si j'ai menti –, il aurait tout dit à Raphaël en premier, s'il avait eu à le dire à quelqu'un, ben…

— Je pouvais pas le dire à personne, c'était clair, clair comme…

— … comme de l'eau croche ! Et t'as été en cachette t'enrôler, c'est ça ?

— Pas ça.

Raphaël soupire. Et Peigne enchaîne :

— Pas en cachette.

Pour une fois que l'orphelin de sa nombreuse famille prenait une option sur sa vie, n'abandonnait pas son sort au sort, ni son destin à sa destinée, pour une fois qu'il avait l'occasion de faire une chose différente, disparate, sans discriminiminimination pour personne, sans danger de déranger ou nuire ou endommager la réputation et les biens d'autrui, rien fait en cachette, non, mais en secret, secret militaire, pour pas mettre l'avenir ni le pays en péril, péril capable de…

Raphaël écoutait le baragouin de son ami et lui superposait son propre monologue intérieur. Personne en effet n'avait jamais offert à Peigne la moindre chance de défendre ses valeurs. Il passerait dans la vie comme un coup de vent que le temps emporterait. Le temps implacable ne laisserait de lui qu'une image floue de l'innocent généreux et maladroit, éternel errant avec les deux pieds dans la même bottine et le cœur sur la main pleine de pouces, le simple d'esprit qui marchait en zigzag sur le fil du temps, préférant tomber que de s'enfarger dans les pieds des autres. Or, voilà que pour là première fois il voyait sa chance de partir en guerre contre tous les malheurs qui affligeaient son entourage. Et ça, il ne fallait pas laisser personne l'en empêcher, le chasser de l'armée comme on l'avait chassé de la famille, de l'école, de son endroit dans la société. Peigne serait soldat pour défendre la planète qui l'avait rejeté.

Et Raphaël empoigna son ami par les épaules, sans reproches, sans dire un mot pour le dissuader, simplement en le faisant pivoter sur lui-même et finir par lui donner le plus affectueux coup de pied que jamais simple soldat reçut au cul.

Le départ de Peigne sonna l'alarme dans le cœur du Grand-Petit-Havre qui commençait à s'effilocher.

— Le pays va se vider de sa meilleure jeunesse, se lamentaient les mères de familles nombreuses.

— Pantoute, disait la forge, y aura de l'ouvrage en masse, c'est la fin de la Dépression.

— On parle déjà de construire à la butte du Moulin des barges pour transporter les troupes, renchérissait le magasin général.

— C'empêchera pas nos gars d'aller se faire tuer pour l'Angleterre, de déblatérer le vieux Clovis.

— Dans quatre ans ça sera fini, comme la dernière fois. Et chacun pourra rentrer chez eux.

— Quatre ans, tu dis? Avec les bombes qu'on fabrique de nos jours, je leur donne pas deux ans pour réduire le monde en poussiére.

— Deux ans… Ils auront point le temps de se rendre jusqu'icitte, restez tranquilles.

Finalement, pour ou contre l'avenir, tout le monde se mit d'accord sur un point :

— Ça sera pus jamais pareil.

Plus jamais pareil. Raphaël le comprit quand il fut témoin du démantèlement de la voie ferrée. La traque partait à la fonte, c'était la guerre.

— De toute façon, ça servait plus à rien, dit quelqu'un.

Plus à rien qu'à séparer les gens d'En-bas des gens d'En-haut, songea Raphaël.

Mais quand le dimanche suivant il vit défiler Noume en tête de la parade en costume kaki et casque sur le front, Raphaël sut qu'on pouvait envoyer la traque à la fonte pour en faire des canons : le Grand-Petit-Havre…

— … sera plus jamais pareil.

Il avait si fière allure, le caporal Noume, que bien des filles d'En-haut se demandèrent comment elles avaient pu passer à côté d'un chevalier de la Table ronde sans l'avoir reconnu. Il gardait le pas, *left, right, left, right*, l'œil fixe en avant. Et Raphaël imagina le sourire rentré de l'héritier de Don l'Orignal qui sifflait *Tse long way to Tipperary* au passage de son garçon qui martelait l'asphalte de la grande rue du Haut-de-la-traque… qui n'existait plus.

Au tour de la Bessoune de s'engager dans les C.W.A.C., de la Catoune de s'embaucher dans une usine de guerre, de Katchou de s'embarquer sur un bateau de marchandises, de Boy à Polyte de rejoindre les traîneux de forge et vétérans de la Première Guerre dans la Home Guard.

Boy à Polyte dans la Home Guard !

— Tant mieux, dit la plus-que-centenaire Ozite, il est ben là.

Elle ne voulait point d'une autre mort sur la conscience.

Comment ça ? C'est elle qui avait poussé Peigne à s'enrôler ?

— Non, je l'ai point poussé, ben, j'aurais dû l'avertir.

Raphaël ne lui en demanda pas davantage, il savait déjà. Son intuition valait bien la voyance de la sorcière.

Pourtant, quand viendra tomber comme une bombe sur le Grand-Petit-Havre, l'année suivante, l'annonce officielle de la mort de Peigne...

Le facteur ne savait pas à qui livrer l'avis de décès et choisit de le laisser au presbytère. Et c'est Raphaël qui dégringola de l'escalier du grand hall, bousculant curé et vicaire et servante. Son pressentiment l'avait déjà averti. Il l'arracha des mains du courrier, l'examina, puis le remit à Monseigneur. Mais le vieux Clovis avait reconnu le messager de l'armée avant qu'il n'atteigne le presbytère et répandu la nouvelle dans le village qui prit le deuil, collectivement.

Le dimanche suivant, seuls quelques badauds descendus des collines assistèrent au défilé militaire. Le Grand-Petit-Havre resta chez lui. Et Raphaël envoya son subalterne sonner le glas, puis s'enferma dans sa chambre.

Il ne s'écoula pas un mois depuis la disparition de Peigne au front que...

... pas au front, en mer. Peigne se devait de disparaître en mer. Après tout, le meilleur nageur du pays des côtes...

... ben, voyons donc, si Peigne était tombé à l'eau, y resurgirait au printemps.

... pas à l'eau du chenal, en plein océan. Apparence que...

Et la légende va bon train.

Le simple soldat Peigne qui voit couler son bateau, plonge pour sauver son commandant...

... sauver ses camarades...

... rescaper le régiment...

... pas rescaper personne, tout le monde a péri.

… ça se peut pas, faut qu'y en ait eu au moins un pour rapporter l'histoire…

… pour rapporter une histoire, laissez ça aux défunts, y a pas meilleurs raconteux.

Après un mois, Peigne avait mérité la Croix de Victoria. On n'aurait qu'à espérer le jour de la victoire pour assister en grande pompe à la cérémonie.

En attendant, le Grand-Petit-Havre qui avait vu durant plus de vingt ans le vagabond errer par ses anses et ses buttes sans s'en inquiéter plus que de raison fit de lui son premier héros de la Guerre de 39.

Monseigneur semblait décliner à vue d'œil. Certains prétendaient que le vieil homme, amaigri et la voix tremblante, ne s'était pas remis de son jubilé. On notait qu'il ne chaussait plus ses bas violets et souliers de cuir verni le dimanche. Et qu'il avait perdu de son éloquence qui avait fait trembler le diocèse durant trois décennies. Autant de signes qui vinrent préparer les paroissiens au choc : l'annonce de son départ pour Shédiac.

Shédiac ! On aurait dit Rome ou Jérusalem ou Scoudouc qu'on l'eût pris, mais…

— Quoi c'est qu'a la paroisse de Shédiac de mieux que…

— Pas curé de la paroisse, aumônier à l'hospice des vieux. Et c'est lui-même qui l'aurait choisi, apparence.

— Ça serait-y que l'homme sentît sa mort ?

Clémentine l'aida à faire le tri dans ses affaires, à se dépouiller de ses biens accumulés et encombrants, puis l'accompagna jusqu'à l'hospice et ne revint pas. Elle expliqua à Raphaël qu'elle se faisait vieille, elle aussi, qu'un hospice est une résidence pour personnes âgées. Et comme elle n'avait eu ni mari ni enfants…

— Si fait, Clémentine, un enfant, un grand enfant.

Raphaël pensait à lui, mais Clémentine se méprit et riposta :

— Monseigneur était un grand homme, avec tous les travers et mauvaises habitudes des hommes qu'ont point eu de femmes pour les dorloter… et les ramener sus la terre de temps en temps.

Puis elle ajouta en regardant le chat qui cherchait à rattraper sa queue :

— Et toi, mon ratoureux…

Raphaël ne la laissa pas finir.

— Je partirai aussi. Le Grand-Petit-Havre est trop petit… ou trop grand pour moi. Et puis il s'effiloche. Après que tout le monde l'aura quitté, qui viendra sonner les cloches à mon enterrement ?

Clémentine se retourna brusquement :

— Y aura en masse de monde pour les sonner à tes noces, espèce de malfamé !

François-Xavier tint à l'annoncer lui-même à Raphaël qui, sans s'y attendre, s'y attendait : le fils Landry épousait Anne des Charles à Charles. Mais son union ne serait valide qu'avec le consentement du premier témoin, Raphaël.

— Si quelqu'un connaît une cause d'empêchement à ce mariage, qu'il récite avec emphase…

Raphaël connaissait une cause d'empêchement à ce mariage, la seule cause, la plus valable des causes. Il leva la tête, fixa longuement François-Xavier qui pâlit et eut peine à soutenir le regard de son ami. Puis Raphaël soupira. Petit à petit les deux finirent par sourire, pour ne pas se prendre aux cheveux.

— Je serai à l'orgue, qu'il finit par marmonner, je pourrai pas te servir de témoin.

Avec le mariage annoncé d'Anne et de François-Xavier, puis la disparition de Peigne en mer, ou sur terre, ou au-dessus du plus haut nuage, puis le départ de Clémentine et de Monseigneur, puis la refonte de la traque de chemin de fer dans les usines à canons, Raphaël sut que le Grand-Petit-Havre était trop grand pour lui. Ou trop petit pour son rêve infini. Il refera le voyage à rebours, rentrera au pays de son enfance qui n'est pas en guerre, pas encore, rejoindra les restes épars d'un cirque qui l'a propulsé, dix ans plus tôt, dans le vertige des hauteurs et…

Et il décide de se rendre à Shédiac, dire adieu à Clémentine.

— Tu vas partir, je le sais, qu'elle fait dès qu'elle l'aperçoit dans le cadre de porte. Ça servira à rien que j'essaye. Qu'est-ce tu veux que je te dise !

— Dites rien, Clémentine, souhaitez-moi bonne chance et baillez-moi votre bénédiction.

— C'est à son père ou sa mère d'accoutume qu'on demande ça.

— J'ai ni l'un ni l'autre, vous le savez bien.

— Y te reste Monseigneur, qui t'a accueilli dans sa maison.

Silence ébaubi. Puis ricanement.

— Accueilli !?

Par les petits et d'une voix rauque mais qui ne cherche pas ses mots, l'ancienne servante du presbytère rafistole sous les yeux de Raphaël le tableau de la vie de l'égaré tombé du ciel sur une motte de foin dans l'aire de la grange, une nuit d'hiver. L'hiver le plus froid de mémoire de Clovis, et c'est pas peu dire. L'enfant perdu qui se nourrit de ragornures de cuisine passées par les carreaux de la lucarne, qui se chausse de bottines de femme une petite affaire trop serrées aux chevilles, qui perd pied une nuit et perd courage et risque sa mort en s'en allant grimper, l'écervelé, jusqu'au faîte du pont. Qui en redescend pourtant et décide de refaire sa vie. Et sa vie commence à ressembler à celle d'un homme, pis d'un artiste, pis d'un chef et maître de troupe, la première troupe de théâtre vraiment... vraiment quelque chose et qui fait honneur à la paroisse, la met sur la carte du diocèse qui vient de partout pour découvrir un peuple mélangé de genses de toutes les classes, de tous les gréements et tous les jargons, et qui avait perdu son certificat de baptême dans le Grand Dérangement. Et qui c'est qu'a fait tout ça? Un petit chenapan avec des ailes d'archange, qu'avait ni froid aux yeux ni la langue dans sa poche, et que monseigneur Théophile accueille chez lui, loge et nourrit, mal au commencement, faut le reconnaître, mais juste assez pour que le garnement apprenne ce que c'est d'être un enfant perdu que le ciel ramasse pis garroche dans le giron du pays des côtes pour... pour...

Elle est à bout de souffle et laisse Raphaël achever le tableau à même la palette de couleurs qui déjà chatouillent son infatigable imagination.

Puis après un court silence, elle risque:

— Tu crois pas que çuy-là qui, même à contre-cœur et à rebrousse-poil, t'a permis de faire tout ça, tu crois pas qu'il mériterait de se faire dire à la revoyure?

— À la revoyure, peut-être ben, mais... y demander sa bénédiction?

Monseigneur ne lui dit pas merci d'être venu, ou que c'était le plus beau jour de sa vie, qu'il lui pardonnait et qu'à son tour lui demandait pardon, qu'il lui souhaitait bonne chance et que Dieu le garde, il ne dit rien, sinon que le temps était au beau et que les récoltes et la pêche seraient sûrement bonnes cette année. Mais il finit par prendre la tête de Raphaël dans ses larges mains et la serrer contre sa poitrine. Le jeune homme se détacha doucement et s'éloigna sans vérifier si c'étaient bien des larmes qu'il avait senties couler dans son cou.

Il avait touché l'orgue au mariage d'Anne et François-Xavier, comme promis, le Bach qu'il avait entendu pour la première fois à la grande cathédrale de New York. Puis au moment où le cortège allait se mettre en branle vers la sortie, il s'était enfoncé dans le clocher et avait saisi les câbles qui pendaient des cloches qui gardaient en mémoire les timbres de l'angélus, du glas, du tocsin, du couvre-feu, des baptêmes, du jubilé, des noces… Il s'enroula les amarres autour des poignets et le village fut surpris d'entendre sortir des sons inaccoutumés. Aux notes joyeuses du mariage, au timbre lugubre du glas, au bourdon solennel du jubilé, les cloches ce jour-là ajoutaient les adieux de Raphaël au Grand-Petit-Havre.

Le vieux Clovis leva la tête et fit : Tut-tut-tut…
Le vicaire comprit que ça ne servirait à rien d'argumenter et laissa s'affoler les cloches.
La sage-femme Ozite rentra dans son antre comme après chaque cérémonie.

Et Raphaël la suivit.
— Tu peux quand même prendre une chaise.
— Je tarderai pas.
— Je le sais, mais prends le temps de me le dire.
— Je m'en vas.
— Et pis ?
— C'est toute.
Nenni.
Ils se fouillent des yeux, puis Raphaël se souvient du respect qu'il lui doit.

Il part pour ne plus revenir, il a fait ce qu'il a pu, a obéi à Dieudonné, à son destin, mais n'a pas réussi à les rattraper ni l'un ni l'autre. Dieudonné attendait de lui quelque chose d'impossible…

— Quoi?

— Impossible dans une seule vie. Amarrer tous les bouts de câbles cassés, retrouver tous les morceaux éparpillés… Comprenez-vous, Ozite, qu'un pays qui a éclaté deux siècles passés, largué ses amarres aux quatre coins du monde peut pas se refaire dans une vie? Comprenez-vous ça?

Ozite glousse d'une voix vieille de cent ans. Puis elle s'apaise et :

— Va, mon garçon, pars en paix. La vie est beaucoup pus longue que t'imagines. Elle a commencé ben avant ton pére pis toi, ben avant les aïeux qu'ont planté leux piquets de bouchure à l'orée du bois. Sais-tu qu'il en reste encore de ces vieux rondins enfoncés dans la terre en haut du champ? Avant de quitter pour tes pays chauds, tu pourrais…

Elle divaguait, la sorcière, Raphaël ne partait pas pour les pays chauds, il rentrait chez lui, dans la maison de Dieudonné. Il éviterait la guerre, ou si les États-Unis décidaient un jour d'y entrer, il rejoindrait les cirques qui se donnent pour mission de divertir les hommes en armes au champ de bataille…

Les champs de bataille ont dû ressembler au haut du champ avant qu'on y creuse des tranchées et y traîne des batteries de canons. Ozite ne pouvait pas s'imaginer qu'après des siècles de guerres et de luttes entre les peuples le monde pouvait encore se rafistoler.

Il dormit sa dernière nuit au presbytère en rêvant de rassembler les feuilles volantes d'un puzzle plus vaste que le champ qui s'étendait de la rivière des

264

Allain à l'étang des Michaud, de la salle paroissiale au ruisseau du docteur, une fresque qui couvrait le Grand-Petit-Havre qui allait disparaître sous... Il se réveilla en sursaut en sortant la tête de sous la couverture qui allait l'étouffer.

Il causa normalement avec le vicaire Richard et le nouveau curé autour d'une omelette qui n'allait pas à la cheville de celle de Clémentine, mais tant pis. Puis il mentionna la possibilité de vestiges d'anciens piquets de clôture quelque part en haut du champ qui dateraient des pionniers. Le nouveau curé se montra intéressé, il était généalogiste dans l'âme et avait connu dans le temps...

> ... *Malbrouc s'en va-t-en guer-re,*
> *Mironton, mironton, mirontai-ne.*
> *Malbrouc s'en-va-t-en guer-re...*

Ça vient d'en haut du champ, loin derrière la salle paroissiale. C'est le groupe de Ramacélange, au mitan de la bande à Pitou et Robert-le-bout-de-diable et quelques fillettes et bambins des buttes... ils sont une douzaine en costumes disparates qui partent en guerre contre les Anglais qui les ont déportés il y a deux siècles. Quand Radi aperçoit Raphaël derrière l'orme solitaire, elle s'arrête, quitte la séance et accourt vers lui.

Il passa des heures à rajuster, rafistoler, élargir le spectacle que la jeune troupe avait décidé de présenter au village au prochain 15 août. Du théâtre historique, emphatique, drôle, burlesque, fantastique, où se côtoyaient La Fontaine et Molière, les farces et les fabliaux, des refontes de Tizoune et Balloune, du théâtre comme ils en avaient applaudi depuis que Raphaël était débarqué chez eux, et dont ils ne pourraient plus se passer.

— C'est-y vrai que tu veux t'en aller?

— Je peux pas m'en aller, je suis pas là.

— Hi, hi, hi...

— J'ai jamais été icitte.

— C'est pas vrai, nous autres on te voit.

— C'est pas moi que vous voyez, c'est les autres, Arlequin, Scapin, Pathelin, le vieux Scrooge, le médecin volant, Jocrisse qui perd sa culotte...

— Hi, hi, hi... c'est toi, c'est toi tout ça!

— Comme ça, vous serez jamais tout seuls, ceux-là vont rester.

Et il se lance dans une prestidigitation de haute voltige comme il n'en avait jamais réussi auparavant, créant l'illusion de s'éclipser, faisant disparaître et réapparaître ses héros à tour de rôle, les forçant chacun à se réincarner dans leurs multiples personnages. À la fin, il allonge la bouche en bec d'oiseau, déploie ses épaules et ses bras comme des ailes, raccourcit ses jambes en pattes d'oie et prend son envol.

Tous les enfants jurèrent qu'ils l'avaient vu bâsir et puis s'effacer dans le ciel.

Quand Radi voulut ramasser son sac d'école et courir avertir la famille de la disparition de l'archange Raphaël, elle sentit le poids d'un livre enfoui sous ses cahiers et crayons de couleur. Les *Morceaux choisis*.

Elle se retire à l'écart, l'ouvre à la page cornée au coin droit et lit entre les lignes :

« ... Des fois pour s'amuser, les matelots attrapent un albatros, c't'espèce de gros goéland qui suit les steamers, en volant haut dans le ciel. Il est si beau avec ses ailes blanches ! Mais drès que les hommes le garrochent sur le pont du bateau et pour rire lui brûlent le bec avec leux pipes… »

Elle saute les couplets jusqu'aux dernières lignes :
Exilé sur le sol au milieu des huées,
Ses ailes de géant l'empêchent de marcher.

Le 9 mai 2011

OUVRAGE RÉALISÉ PAR
LUC JACQUES, TYPOGRAPHE
ACHEVÉ D'IMPRIMER
EN SEPTEMBRE 2011
SUR LES PRESSES
DE MARQUIS IMPRIMEUR
POUR LE COMPTE DE
LEMÉAC ÉDITEUR, MONTRÉAL

DÉPÔT LÉGAL
1re ÉDITION : 3e TRIMESTRE 2011
(ÉD. 01 / IMP. 01)